日本語能力試験必修パターンシリーズ

パターンを押さえて、解き方まるわかり

日本語能力試験 N1 読解 必修パターン

Japanese Language Proficiency Test N1 Reading Compulsory Pattern
日语能力考试 N1 读解 必修的模式
Bài kiểm tra trình độ tiếng Nhật bản N1 đọc hiểu Mô hình bắt buộc

氏原庸子／岡本牧子／清島千春／佐伯玲子／福嶌香理（大阪YWCA）●共著

Jリサーチ出版

はじめに

　1984年に始まった日本語能力試験も2010年には大きく改定され、日本語の知識だけでなく、実際に運用する能力も求められるようになりました。

　本書は大きく3つの部分で構成され、まずPART1「基礎編」では、読解問題攻略に向け読解の基礎力を高めるため、短文・中文と長文とに分けました。短文・中文では読解問題に出題されることの多い「読むためのストラテジー」を10のUNITで身につけられるようにし、また長文では出題文ごとの特徴に合わせたストラテジーを5つのUNITに分け細かく解説しています。PART2「対策編」では、対策準備と実戦練習に分け、対策準備では読解に必要な基本的なストラテジーを5つ提示、実戦練習では、実際の試験で出題される「問題8」「問題9」「問題10」「問題11」「問題12」を〈パターンに分類しながら詳しく問題分析〉⇒〈攻略のためのポイントを確認〉という流れで繰り返し練習、その中で実戦力を養えるようにしています。最後の「模擬試験」では、学習のまとめとして実力をチェックします。

　このように本書は、日本語能力試験N1読解問題に対応した構成になっていますが、上記のように読解の力を伸ばすためのさまざまな工夫もされていますので、試験対策としてだけではなく、学校での読解の授業、また、読解力を身につけるための独習にもお勧めできる内容となっています。

　このテキストを使うことで、日本語学習者のみなさんの読解力がアップすることを願っています。また、日本語能力試験に合格するだけではなく、毎日の生活に役立てば、こんなにうれしいことはありません。

氏原庸子・岡本牧子・清島千春・佐伯玲子・福嶌香理

もくじ

はじめに・・・・・・・・・・・・・・・・・・・・・・・・・・・・・・・・・・ 2
この本の使い方・・・・・・・・・・・・・・・・・・・・・・・・・・・・・・ 4
「日本語能力試験Ｎ１」の構成・・・・・・・・・・・・・・・・・・ 6

PART1　基礎編〜文章読解の基本・・・・・・・・11

第1章　短文・中文・・・・・・・・・・・・・・・・・・・・・・・・11

- **UNIT 1** 指示詞の内容・・・・・・・・・・・・・・・・・・・・・・ 12
- **UNIT 2** 事実関係・・・・・・・・・・・・・・・・・・・・・・・・・・ 18
- **UNIT 3** 言葉の意味・・・・・・・・・・・・・・・・・・・・・・・・ 24
- **UNIT 4** 話の展開・・・・・・・・・・・・・・・・・・・・・・・・・・ 30
- **UNIT 5** 人物の気持ち・・・・・・・・・・・・・・・・・・・・・・ 35
- **UNIT 6** 理由や根拠・・・・・・・・・・・・・・・・・・・・・・・・ 40
- **UNIT 7** 全体の内容・・・・・・・・・・・・・・・・・・・・・・・・ 46
- **UNIT 8** 筆者が言いたいこと・・・・・・・・・・・・・・・・ 51
- **UNIT 9** 連絡文・・・・・・・・・・・・・・・・・・・・・・・・・・・・ 56
- **UNIT 10** 情報検索・・・・・・・・・・・・・・・・・・・・・・・・・ 62
- 練習問題の答え・・・・・・・・・・・・・・・・・・・・・・・・・・・・ 72

第2章　長文・・・・・・・・・・・・・・・・・・・・・・・・・・・・77

A．事実関係・論理関係に注目するパターン・・・・・・・・ 78
- **UNIT 1** 解説・・・・・・・・・・・・・・・・・・・・・・・・・・・・・・ 78
- **UNIT 2** 論説・・・・・・・・・・・・・・・・・・・・・・・・・・・・・・ 86

B．心の動きや考え方に注目するパターン・・・・・・・・・・ 93
- **UNIT 1** エッセイ・・・・・・・・・・・・・・・・・・・・・・・・・・ 92
- **UNIT 2** 小説・・・・・・・・・・・・・・・・・・・・・・・・・・・・・・ 100

| UNIT 3 | 紀行文 ・・・・・・・・・・・・・・・・・・・・・・・・・・・・・・・・・・・・ 112 |
| | 練習問題の答え ・・・・・・・・・・・・・・・・・・・・・・・・・・・ 122 |

PART 2　対策編 ・・・・・・・・・・・・・・・・・・・・・・・・・・ 125

第1章　対策準備 ・・・・・・・・・・・・・・・・・・・・・・・・・・・・・・・・・・ 126

UNIT 1	問題文の基本的な読み方 ・・・・・・・・・・・・・・・・・ 126
UNIT 2	チェックの仕方 ・・・・・・・・・・・・・・・・・・・・・・・・・・・ 128
UNIT 3	指示詞（コソア表現）の整理 ・・・・・・・・・・・・・・・ 130
UNIT 4	文末表現の整理 ・・・・・・・・・・・・・・・・・・・・・・・・・・ 132
UNIT 5	接続詞の整理 ・・・・・・・・・・・・・・・・・・・・・・・・・・・ 136

第2章　実戦練習 ・・・・・・・・・・・・・・・・・・・・・・・・・・・・・・・・・・ 139

UNIT 1	内容理解（短文）に挑戦！ ・・・・・・・・・・・・・・・・・ 140
UNIT 2	内容理解（中文）に挑戦！ ・・・・・・・・・・・・・・・・・ 144
UNIT 3	内容理解（長文）に挑戦！ ・・・・・・・・・・・・・・・・・ 152
UNIT 4	統合理解に挑戦！ ・・・・・・・・・・・・・・・・・・・・・・・・ 161
UNIT 5	主張理解（長文）に挑戦！ ・・・・・・・・・・・・・・・・・ 170
UNIT 6	情報検索に挑戦！ ・・・・・・・・・・・・・・・・・・・・・・・・ 180
	EXERCISE の答え ・・・・・・・・・・・・・・・・・・・・・・・・・ 190

PART3　模擬試験 ・・・・・・・・・・・・・・・・・・・・・・・・・・ 195

〈別冊〉

模擬試験　解答・解説 ・・・・・・・・・・・・・・・・・・・・・・・・・・・・・・・・・・・・ 2
付録「試験に出る言葉」 ・・・・・・・・・・・・・・・・・・・・・・・・・・・・・・・・・ 6
採点表 ・・ 14
解答用紙（模擬試験） ・・・・・・・・・・・・・・・・・・・・・・・・・・・・・・・・・・・ 15

本書の使い方

学習の流れ

この本は、「基礎編」と「対策編」を中心に、次のような流れで学習を進めます。

① 基礎編 ⇒ 読解の基礎力を強化する

　パート1の基礎編では、まず第1章で、読解の基礎力を固めるため10のテーマを設け、短文と中文を素材に要点整理と練習をします。続いて第2章では、第1章の応用・発展として、論説文や小説、エッセイなど、さまざまなタイプの長文を素材に練習をします。これらの学習を通して、読解の基礎力をしっかりと身につけ、また強化します。

② 対策編 ⇒ 問題のパターンを知る、解法のパターンをつかむ

　パート2の対策編は、「対策準備」と「実戦練習」の2つの章で構成されています。まず第1章「対策準備」では、実戦力・得点力を高めるため、読解問題攻略のポイントとテクニックを解説します。さらに第2章「実戦練習」では、実際の試験に即した6つの問題形式（問題8・9・10・11・12・13）ごとに出題パターンと攻略法をつかんでいきます。

③ 模擬試験 ⇒ 学習のまとめとして実力を確認する

　ひととおり学習が終わったら、模擬試験で実力診断をします。得点が低かった場合は、特に出来のよくなかった問題を中心に、しっかり復習しましょう。

④ 付録「試験に出る言葉」 ⇒ 試験直前のチェック

　別冊に、読解問題の問題本文中に含まれる可能性の高い語句をリストアップしました。試験直前のチェックに役立てることができます。

学習プラン

日本語能力試験対策にこの本を利用する場合の学習プランとして、3つの例をご紹介します。試験勉強を始める時期や試験日までの日数など、ニーズに合わせ、適当にアレンジをしながらプランを立ててください。

学習プランの例

※1回50分として。　※授業の中で全部できない場合は、部分的に宿題にする。

	〈平均プラン〉27回		〈短期プラン〉20回		〈超短期プラン〉14回	
1	基礎編 第1章 短文・中文	①指示詞の内容	基礎編 第1章 短文・中文	①指示詞の内容	基礎編 第1章	
2		②事実関係		②事実関係		
3		③言葉の意味		③言葉の意味		
4		④話の展開		④話の展開		
5		⑤人物の気持ち		⑤人物の気持ち		
6		⑥理由や根拠		⑥理由や根拠	基礎編 第2章	長文A
7		⑦全体の内容		⑦全体の内容		長文B
8		⑧筆者が言いたいこと		⑧筆者が言いたいこと	対策編 第1章 対策準備	
9		⑨連絡文		⑨連絡文		
10		⑩情報検索		⑩情報検索	対策編 第2章 実戦練習	①②③
11	基礎編 第2章	長文A①解説	基礎編 第2章	長文A		④
12		長文A②論説		長文B		⑤
13		長文B①エッセイ	対策編 第1章 対策準備			⑥
14		長文B②小説			模擬試験	
15		長文B③紀行文	対策編 第2章 実戦練習	①②		
16	対策編 第1章 対策準備	①問題文の基本的な読み方		③		
17		②チェックの仕方		④		
18		③指示詞の整理		⑤		
19		④文末表現の整理		⑥		
20		⑤接続詞の整理	模擬試験			
21	対策編 第2章 実戦練習	①内容理解（短文）				
22		②内容理解（中文）				
23		③内容理解（長文）				
24		④統合理解				
25		⑤主張理解				
26		⑥情報検索				
27	模擬試験					

※「試験に出る言葉」は自習。

▶ 基礎編の学習の仕方

第1章 短文・中文

- 10のテーマごとに、練習問題を解きながら文章読解の基本を確認していきます。

第2章 長文

- 第1章の応用・発展学習として、長い文章を使った練習問題を解きながら、ポイントをつかんでいきます。

練習問題の答え

- 各練習問題の答えのページでは、解答のポイントを示しています。また、語句の補足説明などをしています。

本書の使い方

▶対策編の学習の仕方

第1章 対策準備

読解問題を解くための、また、得点力をアップするための実戦的なテクニックを学びます。

第2章 実戦練習

第2章「実戦練習」では、実際の試験の形式に合わせて、問題分析と練習をしていきます。

「日本語能力試験 N1」の構成

大問			小問数	ねらい
言語知識（文字・語彙・文法）・読解（110分）	文字・語彙	1 漢字読み	6	漢字で書かれた語の読み方を問う。
		2 文脈規定	7	文脈によって意味的に規定される語が何であるかを問う。
		3 言い換え類義	6	出題される語や表現と意味的に近い語や表現を問う。
		4 用法	6	出題語が文の中でどのように使われるのかを問う。
	文法	5 文の文法1（文法形式の判断）	10	文の内容に合った文法形式かどうかを判断することができるかを問う。
		6 文の文法2（文の組み立て）	5	統語的に正しく、かつ、意味が通る文を組み立てることができるかを問う。
		7 文章の文法	5	文章の流れに合った文かどうかを判断することができるかを問う。
	読解	8 内容理解（短文）	4	生活・仕事などいろいろな話題も含め、説明文や指示文など200字程度のテキストを読んで、内容が理解できるかを問う。
		9 内容理解（中文）	9	評論、解説、エッセイなど500字程度のテキストを読んで、因果関係や理由などが理解できるかを問う。
		10 内容理解（長文）	4	解説、エッセイ、小説など1000字程度のテキストを読んで、概要や筆者の考えなどが理解できるかを問う。
		11 統合理解	2または3	複数のテキスト（合計600字程度）を読み比べて比較・統合しながら理解できるかを問う。
		12 主張理解（長文）	4	社説、評論など抽象性・論理性のある1000字程度のテキストを読んで、全体として伝えようとしている主張や意見がつかめるかを問う。
		13 情報検索	2	広告、パンフレット、情報誌、ビジネス文書などの情報素材（700字程度）の中から必要な情報を探し出すことができるかを問う。
聴解（60分）		1 課題理解	6	まとまりのあるテキストを聞いて、内容が理解できるかどうかを問う。
		2 ポイント理解	7	まとまりのあるテキストを聞いて、内容が理解できるかどうかを問う。
		3 概要理解	6	まとまりのあるテキストを聞いて、内容が理解できるかどうかを問う。
		4 即時応答	14	質問などの短い発話を聞いて、適切な応答が選択できるかを問う。
		5 統合理解	4	長めのテキストを聞いて、複数の情報を比較・統合しながら、内容が理解できるかを問う。

※ 小問数は予想される数で、実際にはこれと異なる場合もあります。

試験に関する最新情報は、日本語能力試験の公式ホームページ（☞ http://www.jlpt.jp）でご確認ください。

PART 1
基礎編
きそへん

第1章
短文・中文
たんぶん　ちゅうぶん

- **UNIT 1** 指示詞の内容
  しじし　ないよう
- **UNIT 2** 事実関係
  じじつかんけい
- **UNIT 3** 言葉の意味
  ことば　いみ
- **UNIT 4** 話の展開
  はなし　てんかい
- **UNIT 5** 人物の気持ち
  じんぶつ　きも
- **UNIT 6** 理由や根拠
  りゆう　こんきょ
- **UNIT 7** 全体の内容
  ぜんたい　ないよう
- **UNIT 8** 筆者が言いたいこと
  ひっしゃ　い
- **UNIT 9** 連絡文
  れんらくぶん
- **UNIT 10** 情報検索
  じょうほうけんさく

練習問題の答え
れんしゅうもんだい　こた

第1章
短文・中文

UNIT 1 指示詞の内容

「コ・ソ・ア」で表されているものは何かを考える

パターン 1 指示詞の前後に答えがある

例題

次の文章を読んで、後の問いに対する答えとして最も適当なものを1～4から1つ選びなさい。

　「女らしさ」「男らしさ」という言葉がある。最近は、男女差別とやらが叫ばれ、①こういう性差の表現は使ってはいけないのかもしれないが、しかし、女性が男性に「男らしさ」を、男性が女性に「女らしさ」を求めるのは、例え、言葉が制限されようとも変らぬ自然の摂理なのではないだろうか。
　先日、おもしろい話を聞いた。多くの女性は「もっと痩せたい」と願い、スリム体型こそが「女らしさ」の象徴のように思っているが、男性が求めるのは②そうではなく、健康的な曲線美にこそ「女らしさ」を感じるというのだ。だが、そもそも「らしさ」というのは、人によって取りようも異なるので、③そんなことより、追求すべきは「自分らしさ」なのかもしれない。

1 ①こういうとは何を指しているか。

1　男女差別
2　女性が男性に「男らしさ」を求める
3　男性が女性に「女らしさ」を求める
4　「女らしさ」「男らしさ」

2 ②そうとは何を指しているか。

1　スリム体型
2　「女らしさ」の象徴
3　女性が「もっと痩せたい」と願うこと
4　健康的な曲線美

3 ③そんなこととは何を指しているか。

1　「もっと痩せたい」と願うこと
2　男性が何を求めているかを考えること
3　「女らしさ」「男らしさ」を考えること
4　「自分らしさ」を追求すること

解き方

指示詞が表すもののほとんどは、「前の部分」にある。話の流れに沿って、区切りながら考えると、答えは見えてくる。

1 「こういう」は、「このような」という意味であり、「このような性差の表現」なのだから、答えはおのずと **4** が選ばれる。

2 話の流れから、〈「そう」で表されているもの〉は「男性が求める曲線美ではない」と読みとれる。3 も惑わされる答えだが、「痩せたいと願う」ことを否定しているのではないため×。答えは **1**。

3 「そんなことより」の「より」に注目する。「自分らしさ」と対称になるものを探す。答えは **3**。

やってみよう・1　次の文章を読んで、後の問いに答えなさい。

⇒答えは p.72

　お金が貯められる人と、貯められない人には決定的な違いがあるそうだ。貯められる人の計算式は①こうである。「まず、貯蓄をして、その残った金で生活する」のである。つまり、「先取り貯蓄」である。貯められない人はこの逆で、まず、支出をして残ったお金を貯蓄するので、残らなければ貯蓄はしないという考えだ。しかし、②これでは貯まるものも貯まらないということになってしまう。

1　①こうとは何を指しているか。

1　決定的な違いがある
2　貯められる人の計算式
3　先取り貯蓄
4　残ったお金を貯蓄すること

2　②これとは何を指しているか。

1　先取り貯蓄
2　貯蓄をして残った金で生活すること
3　支出して残ったお金を貯蓄すること
4　貯蓄しないという考え

パターン 2 答えがそのまま文中に表れていない場合

例題

次の文章を読んで、後の問いに対して最も適当な答えを1～4から1つ選びなさい。

　人前に出ると緊張してしまう、いわゆる「あがり症」の人は意外に多い。顔が熱くなり冷や汗が出て言葉に詰まる、頭が真っ白になって、自分で自分がわからなくなる。社会に出ると人前で話す機会も多くなるが、①こんなことでは大きなハンディだ。だが、人前であがるのはごく自然な反応なのである。人には「恥をかきたくない」「いい格好をしたい」という潜在的な願望がある。これが「あがり症」の原因である。では、どうすればいいのか。

　リラックスして、自信を持って、意識を変えればいいのだ、といってもそう簡単なことではないと思う人も多いだろう。まず、首、手首、足首のストレッチや、腹式呼吸で深呼吸をしてみよう。自分の姿を録画して、人から自分がどう見られているかを客観的に見てみるのもいい。思った以上に出来がいいことに気づくものだ。普段から飲食店で大声で店員を呼ぶとか、電車でお年寄りに席を譲るとか、自分を人目にさらし慣れさせるのも効果的だ。また、自分の話で何を伝えたいのか、話の目的を再確認し、自分ではなく相手に意識を変える。②これらのことで自然と緊張は減っていくのだ。

1　①こんなこととは何を指しているか。

1　人前で話すことが多くなること
2　人前での自然な反応を示すこと
3　人間として自然に潜在的な願望を持つこと
4　緊張して自分で自分がわからなくなること

2　これらのこととは何を指しているか。

1　ストレッチと腹式呼吸でリラックスすること
2　他人に見られることに慣れたり、自分を撮った録画を見て自信をつけること
3　潜在的な願望を捨て、素直に行動し、それを自然なことと思うこと
4　自分の意識を変え、自信を持って、リラックスすること

① 指示詞の内容

> **解き方**
>
> 選択肢の文がそのままの形で本文中になく、文章全体の内容をまとめたものである場合も多い。このような場合はまず、文の意味を大まかに理解することが第一。その上で、指示詞を考える。
>
> 1 「こんなこと」は、〈「社会に出ると人前で話す機会が多くなる」という状況の中、「大きなハンディ」となるもの〉である。紛らわしいのは**2**だが、具体的ではない。より具体的な**4**が答え。
> 2 「これらのこと」は、複数であることに注意。また、これによって「緊張が減る」ものを探す。1、2、3の内容はどれも正しいが、これらをまとめたものが答えになる。答えは**4**

やってみよう・2　次の文章を読んで、後の問いに答えなさい。

⇒答えは p.72

「ダイエットをしているのに全く痩せない」「あの人はいっぱい食べてるのに、何でスリムなの？」——よく耳にする女性の悩みだが、どうやら日ごろの食習慣に問題があるようだ。意外に多いのが「〜しながら食べる」ことである。テレビを見ながら、スマホを触りながら、友達としゃべりながら…。いわゆる「ながら食事」である。これは、注意が食事に向かず、思った以上に食べ過ぎてしまうので要注意だ。また、早食いの人は満腹中枢が反応する前に食べてしまうため、食べ過ぎる傾向がある。さらに、食べるときの一口分が大きいと、やはり食べ過ぎてしまうし、早食いにもつながる。とはいっても、一番美味しいのは自分のリズムで好きなように食べることであり、ここが難しいところでもある。

問い　ここは何を指しているか。

1　ダイエットしているのに痩せないということ
2　何かをしながら食べる「ながら食事」をすること
3　自分のリズムで美味しい食事をするか、制限して食べるかということ
4　忙しいから大きな口で早く食べなければならないのにできないこと

練習1

⇒答えは p.72

次の文章を読んで、後の問いに対する答えとして最も適当なものを1～4から1つ選びなさい。

> 5月・・・若葉の季節。多くの人にとってはさわやかな季節の始まりであろう。しかし、私にとってはそうではない。またこの季節がめぐってきたという重い気分にさせられるのだ。私の花粉症は新緑のこの時季に始まり、終日、涙とくしゃみに悩まされることになる。

問い この季節とは、何を指しているか。

1 さわやかな季節　2 花粉症の季節　3 若葉の季節　4 新緑の季節

練習2

⇒答えは p.72

次の文章を読んで、後の問いに対する答えとして最も適当なものを1～4から1つ選びなさい。

> 最近では、「ら抜き言葉」や「マニュアル言葉」といわれるものが、若い人の間だけでなく一般にも浸透して、それを使う人も多くなってきた。言葉は変わっていくものだというのももちろんわかるし、若い人たちが文法などに興味がないのもわかる。しかし果たして、①これでいいのだろうか。②こんなことを言うと頭の古いやつだと思われるだろう。だが、あえてこう言いたい。言葉は、人に何かを伝えるものである。聞いて不自然に感じる言葉では、人に十分に伝えることができないのではないか、と。

[1] ①これとは何を指しているか。

1 「ら抜き言葉」や「マニュアル言葉」を使う人が多いということ
2 「ら抜き言葉」や「マニュアル言葉」を使うことはよくないということ
3 言葉は変わっていくものだということ
4 若い人たちが文法などに興味がないということ

[2] こんなこととは何を指しているか。

1 「ら抜き言葉」や「マニュアル言葉」を使う人が多いということ
2 言葉は変っていくもので、若い人は文法に興味がないということ
3 言葉は、人に何かを伝えるものだということ
4 聞いて不自然に感じる言葉では、人に十分に伝えられないということ

練習3

⇒答えは p.72

次の文章を読んで、後の問いに対する答えとして最も適当なものを1～4から1つ選びなさい。

　不思議なもので、自分で起きるのが習慣になってくると、一日の流れの中で、自分がどう動くべきかが、自然と見えてきます。自分でできる範囲と、家族や仲間に手助けをお願いする部分とを分けて考えられるようにもなります。つまり一日を自分でやりくりしていく力がついてくるのです。①それは自立した生活者になるのに、とても大事な力です。なぜなら、世の中の多くのことが、時間という軸で動いているからです。時間とどう折り合いをつけていくかで、自分の生活が快適に送れるかどうかが決まるといっても過言ではありません。②そのためには「起きる理由」（目的や楽しみ）があることが大事です。それがあるから人は、一日を有効に使おうと工夫したり、努力するようになるといってもいいのではないかと思います。

（南野忠晴『正しいパンツのたたみ方――新しい家庭科勉強法』岩波ジュニア新書による）

1　①それは何を指しているのか。

1　一日を自分でやりくりしていく力がつくこと
2　自分で起きるのが習慣になること
3　一日の中で自分がどう動くべきかが自然に見えること
4　自分でできる範囲と手助けを頼む部分とを分けて考えられるようになること

2　②そのためは何を指しているのか。

1　時間という軸で動くため
2　快適な生活を送るため
3　時間と折り合いをつけるため
4　一日を有効に使おうと工夫するため

第1章 短文・中文

UNIT 2 事実関係

「主語述語」「時間の経過」を中心に事実関係を考える

パターン 1 問われていることを中心に、場面の構成に注意する

⇒ 5W1H〔いつ（時）／どこで（場所）／だれが（登場人物）／なぜ（理由・目的）／どうした（出来事）〕をもとに整理

例題

次の文章を読んで、後の問いに対する答えとして最も適当なものを1〜4から1つ選びなさい。

> けさ、娘に「実は二人に会ってほしい人がいるの。日曜日に家に連れてくるから、お父さんにも言っておいてね。」と言われて驚いた。そう言えば、夜遅くメールを交換したり、仕事が休みの日も楽しそうに出かけたりしていたが、いったいどんな相手なんだろう。娘の伝言を聞いたら、夫はどんな顔をするだろうか。

[1] 「二人」とは誰と誰のことか。

1. 筆者とその夫
2. 筆者と娘の母親
3. 娘とその友達
4. 筆者の夫と娘の恋人

[2] なぜ、筆者は「夫はどんな顔をするだろうか」と気にしているか。

1. 娘が直接言わず、伝言をしたから
2. 娘が突然、家に恋人を連れてくるから
3. 娘の相手がどんな相手かわからないから
4. 娘が夜遅くメール交換したり、休みに出かけているから

解き方

まず、全体の整理をする。「お父さんにも言っておいてね」「娘の伝言を聞いたら、夫はどんな顔をするだろう」などから、この文章を書いている「筆者」は娘の「母親」。「相手」という言葉で表されている人物は、話の流れから娘の「恋人・結婚相手」であろう。つまり、ここには「母親」「夫(父親)」「娘」「恋人」の4人が登場していることになる。

1 「娘」が家に連れてくるのは「恋人・結婚相手」であり、会わせたがっている二人」は「両親」、つまり答えは**1**。

2 娘の伝言は父親(夫)に「会ってほしい人(恋人)がいる。日曜日に家に連れてくる」というもの。それを聞いて夫がどんな顔をするか心配する理由は、想像するに難くない。答えは**2**。

やってみよう・1　次の文章を読んで、後の問いに答えなさい。

⇒答えは p.72

　肖像権とは人の姿や形、及びその画像が持つ人権のことである。つまり、町中で見かけた人がどんなに素敵でも、その姿をスマホで撮って、<u>本人</u>の承諾を得ずにそれをツイッターなどに投稿するのは、肖像権の侵害となるのである。例えば、観光地で撮った写真に知らない人が写っていた場合はどうだろうか。もしそれが個人を特定できるものであるなら、その写真をフェイスブックに公開するのは差し控えたほうがよさそうである。ただし、手や足などの部分や後ろ姿、ヘアースタイルだけなら、写真を見て「〇〇さんだ」と特定できないので、その人に心理的な負担を与えることもなく、肖像権の侵害には当たらない場合が多い。だからといって、女性の胸元やミニスカートから伸びた美しい足だけを撮ることが許される、というものではない。それが（　　　　）こともあるからだ。

1　<u>本人</u>とは誰のことか。

1　スマホで写真を撮った人　　　2　町中で見かけた素敵な人
3　肖像権を持っている人　　　　4　ツイッターに投稿する人

2　（　　　）に入る言葉として適当なものはどれか。

1　本人の承諾を得ていない　　　2　個人を特定できる
3　肖像権の侵害に当たる　　　　4　迷惑行為に当たる

パターン 2 時間の経過に注目する

⇒ **主な3つの流れ**　　a．現在 → 過去 → 現在
　　　　　　　　　　　b．現在 → 過去1（近い過去）→ 過去2（遠い過去）→ 現在
　　　　　　　　　　　c．過去2（遠い過去）→ 過去1（近い過去）→ 現在

⇒ **過去を表すキーワードをとらえる**
　思い出した／〜たことがある／聞いたことがある／記憶がよみがえった／かつて〜／
　その昔　など

例題

次の文章を読んで、後の問いに対して最も適当な答えを1〜4から1つ選びなさい。

　「たっくんのはウルトラマンで、まさとはアンパンマンなんだよ」。3歳になる息子が保育園から帰ってくるなり、不満そうにこう叫んだ。保育園に持っていくかばんの模様のことである。お母さんたちは、わが子のかばんに最近流行りのアニメキャラクターを刺繍しているのだ。一方、うちの子のは、スーパーで買ってきた無地のデニムで、申し訳程度に汽車のアップリケがすみっこにしてあるだけのものだ。それが気に入らないらしい。「いいじゃない。これ、かっこいいよ」と言いながら、ふと幼い頃の記憶がよみがえった。

　母は手先が器用で、服やかばんによく刺繍をしてくれた。「今度はウサギさん」「私のはお姫様」などと妹と競って頼むと、「はい、はい」とほほえみ、2、3日後にはでき上がっていた。それらの作品を学校に持っていくのが子ども心に誇らしく、嬉しかったことを思い出し、①自分で作ってみることにした。

　あの器用な母から、なぜこんなに②不器用な子が生まれたのかと思えるほどへたくそで、今まで手芸はできるだけ避けてきたが、「息子のためだ、いっちょ頑張るか」と材料を買ってきた。ところが、作業は遅々として進まず、何度もやり直しをする私を見て夫は「買ってきたほうがいいんじゃないか」と不安げな様子。何度か挫折しかけたが、2週間後、ついに完成した。「う〜ん、ちょっとコオロギみたいだけど、ウルトラマンに見えるよね…」

1　①自分とは、誰のことか。

1　筆者の妹　　　　2　筆者の母　　　　3　筆者自身　　　　4　筆者の夫

2　②不器用な子とは、誰のことか。

1　筆者の息子　　　2　筆者の母親　　　3　筆者自身　　　　4　筆者の夫

解き方

まず、時間の流れを見る。「はじめ」から「幼いころの記憶がよみがえった」までが現在、「母は手先が」から「うれしかったことを思い出し」までが過去、「自分で作ってみることにした」から「最後まで」が現在である。つまり、この文は「現在→過去→現在」の流れとなっている。

① 〈手先が器用な母〉は筆者の母親である。〈刺繍がされた物を学校に持っていくのがうれしかった〉のも筆者である。だから息子のために「自分」で作ってみようと思ったのである。答えは **3**。

② 息子のために頑張ってはみたが、ウルトラマンがコオロギに見えるのは、〈筆者が手先が不器用〉だからである。したがって、〈器用な母親から生まれた不器用な子〉を示すのは **3**。

やってみよう・2　次の文章を読んで、後の問いに答えなさい。

⇒答えは p.72

　私の父は子どもを子ども扱いせず、常に一人の人間として接した。今、こうして家族で食卓を囲んでいると、いつも思い出す光景がある。

　私が小学校2年、兄が4年の時だった。みんながその日あった出来事をワイワイ話しながら父を囲んで食事をしていた。私が学校帰りに犬の糞を踏んでしまったという話をしたら、兄が負けじと「ぼくはもっと大きなのを踏んだことがある」と対抗してきて、その色や形などで話が盛り上がった。と、突然、父が私に怒鳴った。

「①人が機嫌よく食っているときに、そんな話をするな」

「なんでぼくだけ怒られるんだ。お兄ちゃんだって……」

と言いかけると、「②人のことは放っておけ」と、また叱られた。

　単に子どもの話と考えれば、何でもないことだが、父は食事時の話題ではないと戒めたかったのだろう。今になってわかることだ。

　さて、私はというと、わが子に対し「まだ子どもなんだからいいじゃないか」と甘やかし、未だに②父のように接することができないでいる。

1　①人と②人は、それぞれ誰のことか。

1　①筆者自身　　　　②筆者の父親
2　①筆者の父親　　　②筆者の兄
3　①筆者の兄　　　　②筆者自身
4　①筆者の父親　　　②筆者の子ども

2 ②父のように接するとは、どのようなことか。

1 子どもを子ども扱いせず、一人の人間として接する
2 いつもワイワイ話しながら楽しく接する
3 兄を叱らず、自分だけを叱って不公平に接する
4 まだ子どもだと甘やかして接する

練習1

次の文章を読んで、後の問いに対する答えとして最も適当なものを1〜4から1つ選びなさい。

> サンゴ礁がいつも安定しているわけでは決してない。大発生したオニヒトデに食い荒らされたり、台風に伴う強い波浪で破壊されたりすることもあるが、これまではいつか元通りに回復していた。しかし、今回はそうではなかった。あれから七年たった今でもほとんど回復していない。山火事にあった土壌には種子が埋もれていて、すぐにそれが芽を出す。けれども、消失したサンゴの回復には、どこからか幼生が流れてくることが必要である。白化の翌年以後も多少は幼生が定着していたが、それはどうやら、白化が起こらなかった慶良間列島などから供給されていたらしい。ただ、残念なことにせっかく定着した幼サンゴは、サンゴもないのになぜか生き延びていたオニヒトデによって多くが食われてしまった。
>
> （中嶋康裕『うれし、たのし、ウミウシ』岩波書店による）

問い ほとんど回復していないのは、なぜか。

1 山火事が多く、種子が埋もれてしまったから
2 サンゴの回復に必要な幼生が流れてこなかったから
3 慶良間列島で白化が起こらなかったから
4 生き延びていたオニヒトデに幼サンゴが食われてしまったから

② 事実関係

練習 2
⇒答えは p.72

次の文章を読んで、後の問いに対する答えとして最も適当なものを1〜4から1つ選びなさい。

　生まれて初めて、居酒屋ののれんを一人でくぐった。60歳を超えた女が何を今さらと言われるかも知れないが、勇気が要った。その日は職場でミスをして気持ちが落ち込み、まっすぐ家に帰ろうという気になれなかった。

　駅前に以前から気になっていた店があって、いつか入ってみたいと思っていたが、なかなか一人では行きづらく、たとえ入っても「何だ、このおばさん、明るいうちから何しに来た」という目で見られはしないかとか、料理が出てくるまで何をして待っていたらいいんだろうとか、いろいろ考えたら、つい素通りしてしまっていた店だ。「え〜い、今日こそ、入ってやるぞ！」と半ばやけくそで心を決めた。「いらっしゃいませ〜」大きい声にちょっと救われた。店の人も気さくに話しかけてくれ、それまでの心配も吹っ飛び、ほろ酔い気分で店を出た頃には、もうすっかり暗くなっていた。

[1]　何を今さらと言うのは誰か。

1　筆者　　　　2　職場の人　　　3　この文の読者　　4　店の人

[2]　筆者が居酒屋にいた時間帯は何時ごろから何時ごろか。

1　午前10時ごろから午後1時ごろ　　　　2　午後1時ごろから午後4時ごろ
3　午後5時ごろから午後9時ごろ　　　　　4　午後10時ごろから午前2時ごろ

練習 3
⇒答えは p.72

次の文章を読んで、後の問いに対する答えとして最も適当なものを1〜4から1つ選びなさい。

　乳がんは女性が最もかかりやすいがんで、12人に1人がかかると言われている。ただ、早期発見により生存率はきわめて高い。術後はホルモン療法などを続けている人も多い。こうした人たちに今、運動が注目されている。一定の運動をする人は、しない人に比べ、再発リスクが25%低いというのだ。

問い　運動が注目されているとあるが、誰が運動するのか。

1　乳がんにかかった人　　　　　　　　2　早期発見により生存している人
3　術後、ホルモン治療をしている人　　4　乳がんが再発した人

第1章
短文・中文

UNIT 3 言葉の意味

たとえや言い換えで表す

パターン 1 比喩やたとえが使われている

例題

次の文章を読んで、後の問いに対する答えとして最も適当なものを1～4から1つ選びなさい。

> 日系移民の多い南米のブラジルの桜祭りは7月から8月にかけて行われるという。その中で一番大きなサンパウロの桜祭りのニュースを、連日体温超えの酷暑の続く日本で聞いて、「え！ 今？」と思った。しかし、地球の反対側は今が冬。暖かい地方では春の初めになるという。たしかに日本でも、東京や大阪でまだ雪の日もある3月から桜前線のニュースが北上を始め、5月の連休ごろに北海道にたどり着く。地球規模の桜便りなら、真夏に聞くのも当然なのだ。

問い 地球の反対側とあるが、何を指しているか。

1　ブラジル　　　2　日本　　　3　東京や大阪　　　4　北海道

解き方

比喩やたとえなどで、何を言い換えているのか、文中での意味を考えます。直前の文に「酷暑の日本」とあるので、その日本にとって「地球の反対側」にあたるものが答えになる。話題として示された「ブラジルの桜祭り」のブラジルであり、答えは1。

やってみよう・1　次の文章を読んで、後の問いに答えなさい。

⇒答えは p.73

　ネット社会の進展と共に日常会話の中にものすごい勢いでカタカナ語が入り込んできた。理解するより先にそのものがあるという感じで①常に息切れしながら走っているようだ。また、カタカナ語であるがためのわかりにくさもある。

先日、仲間うちでクラウドを使って文書を共有しようという話になった。文書の保存を自分のパソコンでせずネット上に置くことで、だれでもどこからでもその文書にたどり着けるというサービスだ。このクラウドは日本語の「雲」の意味で、もともとコンピューター・ネットワークを雲の形で表すことが多かったことから使われている名前らしい。

また、注目されているクラウドに、起業の資金集めに利用されるクラウド・ファンディングという手法がある。ネット上の不特定多数の人が企画に賛同すれば、少額の寄付や投資をするというものだ。研究資金不足を嘆く研究者が利用したり、同じく資金難に苦しむマイナースポーツの選手を支援したりもするそうだ。ところが、このクラウドもてっきり「雲」のクラウド（cloud）だと思っていたら、こっちは「群衆」という意味のクラウド（crowd）だと知って驚いた。②そっちの意味だったのか。

こんなこと、英語を知っている人にしてみれば、何を今さらという話だが、カタカナ語を聞いても原語までは聞かないし、「l」と「r」も③カタカナで書けば同じだ。

カタカナの多いネット用語の難しさを思い知った次第である。

1　①常に息切れしながら走っているとあるが、どういう意味か。

1　最近、年を取ってきたので、新しいカタカナ語は覚えられない。
2　次から次へと新しいカタカナ語が生まれ、理解が及ばない。
3　新しいカタカナ語を覚えようとしても、体力がないので続かない。
4　いつも熱心に新しいカタカナ語を覚えようと努力している。

2　②そっちの意味だったのかとは、どういう意味か。

1　「雲」という意味だと思っていたが、「群衆」という意味だった。
2　「群衆」という意味だと思っていたが、「雲」という意味だった。
3　英語の意味だと思っていたが、日本語の意味だった。
4　日本語の意味だと思っていたが、英語の意味だった。

3　③カタカナで書けば同じだとは、具体的にはどういうことか。

1　「雲」の意味でも「群衆」の意味でも、カタカナで書けば違いはない。
2　「雲」の意味でも「群衆」の意味でも、カタカナで書けばわかりやすい。
3　「雲」の意味でも「群衆」の意味でも、カタカナで書けばはっきりする。
4　「雲」の意味でも「群衆」の意味でも、カタカナで書けば理解されない。

パターン 2　下線部の意味や□の言葉を文中から探す

例題

次の文章を読んで、後の問いに対して最も適当な答えを1～4から1つ選びなさい。

> 氷河は何万年にもわたって積み重なった雪や氷のことだが、地球温暖化の影響でヨーロッパアルプスの氷河が溶けだし、ここ数年は、何年も前の遭難者の遺体発見が相次いでいる。スイス警察などでは、そのような場合に備え、90年間にわたる行方不明者のDNAなどの情報を保管している。氷河の融解は同じ調子で進行しているわけではない。地球の大きな時間の流れのなかで、溶ける時期、溶けない時期を繰り返してきた。地球全体の大気の流れや気温の変化によるのだという。そして、その融解のペースが1980年代以降、きわめて早くなってきているそうだ。

問い　地球の大きな時間の流れとはどういうことか。

1　何世紀にもわたる時間の流れ
2　ここ数年の時間の流れ
3　90年にわたる時間の流れ
4　1980年代以降の時間の流れ

解き方

この場合の「大きな」は地球のことではなく、時間に対して使われている。氷河が〈溶けたり溶けなかったりを繰り返して形成されてきた〉時間を考える。正解は**1**。

やってみよう・2　次の文章を読んで、後の問いに答えなさい。

⇒答えは p.73

　和食の基本は「だし」といわれている。だしは調味料ではないが、素材の味を生かしながら、味に旨み、つまり、おいしさをプラスする。

　どこの国の料理にも「だし」はある。フランスなら牛肉などと野菜・ハーブ、中国なら鶏肉や干した海産物などから「だし」を取る。

　日本の三大「だし」といえば、海草の「こんぶ」、干した魚から作る「かつおぶし」や「いりこ」、それに「干しシイタケ*」だ。それぞれ産地や作り方、大きさが異なり、料理や味の好みに合わせて使い分けられている。

　「だし」としては、こんぶ、かつおぶし、干しシイタケの順に濃く感じるが、それぞれグルタミン酸、イノシン酸、グアニル酸が含まれ、その相乗効果で旨みを感じるということがわかっている。これらの成分をもとに作られた「だしの素」も、忙しい主婦を中心によく使われている。

　（　A　）のだしは、魚や肉の料理では素材からだしが出るのであまり使われないが、野菜料理にはよく使われる。例えば、高級なかつおぶしは魚臭さがほとんどないが、小魚を丸ごと使ういりこは魚の風味が強い。そのため、味の濃いみそ汁などには好んで使われる。料理は地域によって好みの差が大きいが、関西風のあっさりした味付けでは（　B　）だしを使うことが多い。

　このように、組み合わせも考えながら素材と調理法に合っただしを使い、素材そのものの味を引き立てようとするのが和食なのである。

*シイタケ：キノコの一種。

1　（　A　）（　B　）に当てはまる正しい組み合わせは次のどれか。

1　A　こんぶ　　　　　　　　B　かつおぶし
2　A　かつおぶし　　　　　　B　干しシイタケ
3　A　こんぶ　　　　　　　　B　干しシイタケ
4　A　かつおぶし　　　　　　B　こんぶ

練習1

⇒答えは p.73

次の文章を読んで、後の問いに対する答えとして最も適当なものを1〜4から1つ選びなさい。

> 「猫のタマが歩いていた」のような、固有名詞「タマ」は特定の対象物を指し示す。タマは一匹しかいないから、「タマが一匹歩いていた」のように数えることはしない。ただ、「タマが一匹で歩いていた」のように、連れ立っていないことを「一匹で」と言うことは可能である。また、合成写真に人が多数映っていて、それが同一人物である時、その人を数えて「林一郎が五人映っている」とは言わない。別の人間でなければ「五人」とは言えないのである。
>
> 抽象的な名詞はどうだろうか。「平和」のようなものは、特定の対象を指しにくい。平和という状態はまとまりを持ちにくいので、数えることはしない。しかし、抽象的な名詞であっても、「戦争」のような語は、特定の対象物を指すことができ、それを一回二回と数えることができる。これは、平和は私たちの頭の中では、出来事ではないが、戦争ならば出来事として一回ごとにまとまりをもって捉えられるということであろう。「平和の原因」とは言わないが、「戦争の原因」と言えることからも、戦争は（原因を持った）特別の出来事なのである。「健康」と「病気」も同様で、「〜の原因」と言えるのは「　①　」の方で、したがって、「病気を一年に二回した」と言えるが、「　②　」についてはこのように数えることができない。
>
> （久島茂『はかり方の日本語』筑摩書房による）

問い 本文中の「　①　」、「　②　」には、それぞれどの言葉が入るか。

1　①　健康　　　②　健康
2　①　健康　　　②　病気
3　①　病気　　　②　健康
4　①　病気　　　②　病気

練習2

⇒答えは p.73

次の文章を読んで、後の問いに対する答えとして最も適当なものを1〜4から1つ選びなさい。

> ここ50年の地球の気候が変化してきていることは事実であり、①これには疑いの余地がありません。地上気温が高くなっているばかりではなく、海洋も温暖化しており、積

雪面積や北極の海氷は減少してきています。人間活動が気候に影響を与えてきた可能性が極めて高いと科学者は評価しています。その最も大きな原因は、産業革命以来の人間活動による大気中への二酸化炭素の放出です。

一方で、熱波や大雨・豪雨など、災害をもたらす異常気象が毎年のように起こっています。異常気象とは、人が一生の間にまれにしか経験しない、大雨や強風などの短時間の激しい気象現象や、数ヶ月も続く干ばつや冷夏などのことです。

熱波が頻繁に起こったり、大雨の程度や強雨の激しさが増したり、強い台風が襲来したり、もともと雨の少ない地域で干ばつが続いたり、世界のあちらこちらで気候が変化してきています。地球温暖化は②これに拍車をかけることになるでしょう。

地球の気候は、人間活動による温暖化がなくても、常に自然に変動しています。そのため、常に世界のどこかで「異常」気象が起こるのが、むしろ③「正常」といえます。しかしながら、異常気象の程度が激しくなることや、あまりにも頻繁に起こるようになってくる要因の一つに、地球温暖化があることが明らかとなってきました。

（鬼頭昭雄『異常気象と地球温暖化──未来に何が待っているか』岩波新書による）

1　①これには疑いの余地がありませんとあるが、どういう意味か。

1　熱波が頻繁に起こったり大雨の程度や強風の激しさが増しているのはたしかだ
2　強い台風が襲来したり、雨の少ない地域で干ばつが続いているのはたしかだ
3　産業革命以来人間活動によって二酸化炭素を放出しているのはたしかだ
4　50年前と今では地球の気候が変わってきてしまっていることはたしかだ

2　②これに拍車をかけるとは、どういう意味か。

1　異常気象のせいで地球温暖化が進みやすくなっていること
2　人間活動のせいで地球温暖化が進みやすくなっていること
3　地球温暖化のせいで異常気象が起こりやすくなっていること
4　人間活動のせいで異常気象が起こりやすくなっていること

3　③「正常」といえますとあるが、何が「正常」と言えるのか。

1　地球温暖化が進んでいること
2　短時間の大雨・強風や干ばつや冷夏が続くこと
3　異常気象の程度が激しくなること
4　人間活動が二酸化炭素を放出すること

第1章
短文・中文

UNIT 4 話の展開

鍵になる表現に注意しながら話の流れを追う

パターン 1 現状を説明し、それについての問題提起や主張をする

　話の展開とは、話の筋を追うことで、はっきりとは書かれてはいない筆者の主張の展開を読み取る問題です。読み手に疑問を投げかけながら、自分の意見をはっきり提示したり、反対意見を述べたりします。また、決まり文句によって展開が読める場合もあります。鍵になる表現に注意しながら読み進めれば話の展開が見えてきます。

例題

次の文章を読んで、後の問いに対する答えとして最も適当なものを1～4から1つ選びなさい。

　最近では超高層マンションがあちこちに増え、東京や大阪のような都会では何本も林立しているのもめずらしい風景ではなくなった。しかし、ビルというものは年とともに劣化していくものである。だからぴかぴかの高層マンションといえども、何年かおきにあちこちの不具合の修繕をしなければならない。12、3階建てぐらいのマンションなら戸数にもよるが、半年ぐらいの時間をかけて修繕が行われる。その費用は所有者が積み立てて支払う仕組みになっているところが多いが、高層マンションだとその費用、1戸あたり200万円くらいになるという。修繕は一回では終わらず年数が経つにしたがって修繕の規模も大きくなり、エレベーターの付け替えともなると1基につき何千万円もかかったりする。高層マンションといえばあこがれの住まいだが、購入者は入居時にこのような修繕のことまで考えているのだろうか。

問い 筆者がこの文章で言いたいことは何か。

1　高層マンションの修繕は時間がかかるので大変だ。
2　高層マンションの修繕は費用がかかるので大変だ。
3　高層マンションを買うときに修繕の費用のことまで考えたほうがいい。
4　高層マンションを買うときに修繕の期間のことまで考えたほうがいい。

④ 話の展開

> 🎵 POINT
>
> 《反語表現に注意》
> 反語というのは、あるテーマを疑問文の形で示し、それに対して「いいえ／いや」で答える内容を主張するもの。「誰が〜するだろうか」のように〈推量＋疑問〉の形で疑問を投げかけ、「（いや、）誰も〜ない（だろう／はずだ）」と主張が述べられる。

> 📖 解き方
>
> この文章では、最後の疑問文が筆者の主張を表す反語になっている。「購入者は……考えているのだろうか」という疑問文なので、筆者の主張は「購入者は考えていないだろう」ということになる。問題は、それで終わりでなく、だから「考えなくてはいけない」という筆者の本当に言いたいことを問うもの。答えは**3**。
>
> 📚 ことばと表現
> □ **林立**：林のようにたくさんのものが並んで立つこと。
> □ **修繕**：repair／修理／Trùng tu, sửa lại nhà

✏️ やってみよう・1　次の文章を読んで、後の問いに答えなさい。

⇒答えは p.73

　大型犬を飼う人のちょっとした気の緩みで、犬が家から飛び出し、近所の人や通りかかった人に危害を及ぼすという事故が起こることがある。どんな大型犬でも、飼い方次第で人に迷惑をかけないおとなしい犬になる。しかし、犬は犬だ。興奮してひとりで家の外へ飛び出すと、予想もしない人の反応などに、犬自身も恐怖や不安でパニックになりかねない。こうなると飼い主の制御も利かなくなる。犬であっても、猛獣に近い存在だ。そんな大型犬に遭遇してしまっとき、誰が冷静に落ち着いて相手を興奮させないように対処できるだろうか。結果として、人を襲った犬は処分されてしまうことが多い。飼い主にとっても犬にとっても不幸な話だ。飼い主の言うことをよく聞く、従順で優しくかわいくてしかたがない犬かもしれないが、一瞬の油断で悲劇は起こる。くれぐれも大型犬の飼い方には万全の注意を払ってもらいたいものだ。

問い　家を飛び出した大型犬に出会った人はどうなると筆者は言っているか。

1　恐怖や不安でパニックになる。　　2　かわいくてしかたがないと思う。
3　冷静に落ち着いて対処できる。　　4　興奮して飛び出してしまう。

31

パターン 2 テーマを提示し、例を紹介、意見などを述べる

例題

次の文章を読んで、後の問いに対して最も適当な答えを1～4から1つ選びなさい。

　宇宙飛行士の選抜試験で日本独自のものとして、閉鎖環境での10人の共同生活というものがある。ここにたどり着くまでに筆記試験や健康診断、運動能力検査、面接など、さまざまな試験をクリアしてきた精鋭だけに対して行われる。1週間外部と遮断された密閉空間での試験は、アニメやコミックで紹介されたから知っている人もいるだろう。

　たとえば、何かを作る指示を出され、共同作業で、メンバーが知恵と技術を駆使して期限ぎりぎりにそれを完成させる。その時、モニターで見ていた試験官から「つまらないから作り変えて」と言われるのだ。精一杯何かをやり遂げた結果が「つまらない」である。心が折れそうになるが、試験中なのだ。その時の反応もつぶさに観察されている。残り時間はない。そこでどう振る舞えるか。やはり、宇宙飛行士は並大抵でなれるものではないということが、このことからもわかる。

　なぜこんな試験が行われるのか、考えただけでも、宇宙の厳しい環境が想像できる。

問い　閉鎖空間での試験はなぜ行われるのか。

1　10人という人の中でだれがリーダーになれるかを見るため
2　宇宙での想定外の問題発生への対応力を見るため
3　どんな状況でも知恵や技術を発揮できるかを見るため
4　試験官の指示にどれだけ忠実に応えられるかを見るため

解き方

「精一杯」が報われないこともある「心が折れそうになる」「宇宙の厳しい環境」という表現から考える。**答えは2**。

ことばと表現

- □ **選抜**：多くの中から目的や基準に合ったものを選ぶこと。
- □ **精鋭**：少数だが、選び集められた優れた者。
- □ **遮断**：光・音・通信・交通などが通らないように切ること。
- □ **駆使**：人・物・能力を十分役立つよう自由に使うこと。
- □ **つぶさに**：細かく、詳しく。すべてにわたって。

④ 話の展開

やってみよう・1
次の文章を読んで、後の問いに答えなさい。

⇒答えは p.73

　このほど OECD が発表した調査結果に考えさせられた。学校へのパソコンの導入が進んでいる国ほど、数学の能力が落ちているというものだ。パソコンの使い方に関しては、よく使う子どもほど読解の成績がよくなかったという。今日の社会にパソコンは欠かせない。子どもたちへのパソコン教育が必須なのは明らかだ。といって、一日パソコンに向かっているだけでは基本的な能力は育たない、というごく当たり前のことが証明されたのだ。では、パソコン教育は必要ないのか。

　成績が一番よかったのは中程度にパソコンを使っている子どもたちだった。どのようにパソコンを教育に活かしていくのか。今、改めて問われている。

[1] 調査の結果、どのような子どもたちの成績がよかったのか。

1　学校へのパソコンの導入率が高く、中程度にパソコンを利用している子ども
2　学校へのパソコンの導入率が高くなく、中程度にパソコンを利用している子ども
3　学校へのパソコンの導入率が高く、よくパソコンを利用している子ども
4　学校へのパソコンの導入率が高くなく、よくパソコンを利用している子ども

[2] 筆者はこれからどうすればいいと言っているか。

1　学校でのパソコン教育は必要ない。
2　子どもたちにパソコンを使わせないほうがいい。
3　できるだけ学校にパソコンを導入しなければならない。
4　どのようなパソコン教育が有効か学校は考えるべきだ。

練習1

⇒答えはp.73

次の文章を読んで、後の問いに対する答えとして最も適当なものを1～4から1つ選びなさい。

> 日本にパンが入ってきたのは安土桃山時代と言われているから、すでに400年以上の歴史がある。しかし、パン食はなかなか日本に定着せず、戦後、小麦粉の輸入が増えるまで一般には広がらなかったらしい。
>
> パンと言えば、西洋のイメージだ。一緒に飲むのはコーヒーや紅茶、あるいはスープ。副菜も、ハムや卵、サラダといったところだが、日本的ではない。ところが意外なことに、日本の古都である京都がパン消費日本一を何年も維持している。学生が多いからかと考えがちだが、この消費量調査は国の調査で、一人世帯は対象から除かれている。いち早く西洋文化が入ってきた都市、神戸のある兵庫県が2位というのはうなずけるのだが、寺社が立ち並び、日本の伝統産業が息づく京都がパン食日本一というのが面白い。

問い　意外なことにとあるが、どうして意外なのか。

1　パン食が定着しなかったところだから
2　学生が多く住んでいるところだから
3　西洋文化を取り入れたところだから
4　寺や神社が多く伝統的なところだから

練習2

⇒答えはp.73

次の文章を読んで、後の問いに対する答えとして最も適当なものを1～4から1つ選びなさい。

> 「芋煮会」は全国でも有名な秋の風物だ。河原で大々的に行われるこの伝統行事で大鍋に放り込まれる「芋」は、ジャガイモでなくサトイモだ。また、代表的な家庭料理である「肉じゃが」で使われる肉は、関西では牛肉だが、関東では豚肉だ。狭い日本でも、場所によって言葉の表すものが異なる。一方、お彼岸の日に食べるお菓子の呼び名は季節によって異なる。春の彼岸にはボタンの花にちなんで「ぼたもち」、秋の彼岸にはハギの花にちなんで「おはぎ」である。とはいえ、季節感のなくなった昨今では、一年中「おはぎ」と呼ばれている。

問い　「おはぎ」と「ぼたもち」は、何が違うのか。

1　名前も中身も違う。
2　名前は違うが中身は同じ。
3　名前は同じだが中身は違う。
4　名前も中身も同じ。

第1章
短文・中文

UNIT 5 人物の気持ち

出来事や状況の変化とともに人物の心情をとらえる

パターン 1 気持ちの変化をとらえる

例題

次の文章を読んで、後の問いに対する答えとして最も適当なものを1～4から1つ選びなさい。

> 　小学生から中学生までの間、学校で楽しかった記憶があまり残っていない。内向的で少しひねくれた性格だった私は、同級生がみんな幼く感じられて、本音で話すことができなかった。もちろん、先生とも一定の距離をおいていた。本当は寂しかったのだが、冷静を装って、子供のくせに笑顔も少なかったような気がする。
> 　高校生になってやっと本当の友だちができ、高校生活は楽しいものになった。「楽しいから笑うというのは当たり前だけど、笑うから楽しくなるというのも本当かもしれない」と思い始めたのもこのころである。演劇部に入って表情を作る練習をしたことをきっかけに、「ちょっと無理をしても笑ってみよう」と考えるようになっていった。

問い 筆者は高校時代をどんな気持ちで過ごしたか。

1　本音で話すことができず、寂しかった。
2　冷静になるために、誰からも距離をおいていた。
3　友だちができて、楽しくて笑っていた。
4　楽しくなくても笑おうと思っていた。

35

> **解き方**
>
> 気持ちの変化の背景にある環境の変化や出来事をとらえるのがポイント。また、この場合は「高校時代」について問われているので、2段落目から答えを探す。「ちょっと無理をしても笑ってみよう」とあるので、答えは4。
>
> **ことばと表現**
> - 内向的（な）：introverted／內向的／Mang tính hướng nội
> - ひねくれる：素直でない態度をとる。
> - 冷静を装う：冷静であるように見せる。

やってみよう・1　次の文章を読んで、後の問いに答えなさい。

⇒答えはp.74

　それから、私はあの人と引き離された。何が起きているかわからなくて、私は人形のようにかたまっていた。車に乗せられ、別の船着き場に着いた。あの人のことをさがしたけれど、どこにもいなかった。泣いたらだれかがチョコレートを買ってくれた。私はそれを床に投げつけて泣いた。大勢の人といっしょに船に乗り、船をおりてから車。白い車。

　車の窓から見た景色はくっきり覚えている。だって、驚いたから。川は私の知っている川よりだいぶ大きかったし、それから建物。背の高いビルが覆い被さるようにあって、空がうんと低くなって、人がわさわさ歩いていた。泣くのも忘れて、その見たこともない風景にただ目を凝らした。車を降りて、あ、においがなんにもしない、と思った。ずっとかいでいたにおいが、あのとき、ぱたりと消えてしまった。においが消えてしまうと、電気を消したみたいに町の色合いがふっと変わった。泣かなかったと思う。泣くこともできないくらい、こわかった。人や景色ばかりじゃない、においも、色も、知っているものがすべて消えてしまったから。

　このときのことは、今までだれにも話したことがない。

（角田光代『八日目の蝉』中公文庫による）

問い　語り手である「私」の感情は、次のうちどの順番で変化したか。

1　驚き　→　悲しみ　→　驚き　→　恐怖
2　悲しみ　→　恐怖　→　悲しみ　→　驚き
3　驚き　→　恐怖　→　驚き　→　悲しみ
4　悲しみ　→　驚き　→　悲しみ　→　恐怖

⑤ 人物の気持ち

パターン 2 微妙な気持ちを読み取る

例題

次の文章を読んで、後の問いに対して最も適当な答えを1～4から1つ選びなさい。

　車の中で、母は実に饒舌だった。父や妹のことをひとしきり話したかと思えば近所の誰それや友人の話になり、この頃世間を騒がせている事件の話になる。貴子が適当に聞き流しているだけでも、お構いなしにずっと話している。
「お母さん、元気ねえ」
「そう？元気じゃなきゃ困るじゃないの」
「そうだけど。感心するわ」
「お母さんが元気だから、あなた達を健康に産んであげられたんだからね」
　はい、分かりました。ハンドルを握りながら、貴子は不思議に穏やかな気分になっていた。以前は、こういう母のせわしなさや、やたらと口うるさい部分、言葉に刺のある点などが気に障って仕方がなかった。だが、こうして久しぶりに二人で外出してみると、母が老いなどを感じさせず、相変わらずのままでいてくれるのが嬉しい。犯罪と無縁で、伸び伸びとしてくれていることが有り難かった。
　日頃の貴子は、たとえ母と同世代であっても、笑顔などとは無縁の人とばかり接している。被害者でも加害者でも、またはその関係者でも、貴子が接する人たちは、必ずといって良いほど怯え、緊張し、涙を流し、中には茫然自失の状態であることも珍しくはない。何故、自分の身にこんな運命が降りかかってきたのか分からないまま、すがるように救いを求め、数え切れないほどため息をつく人を、この一年も貴子は数え切れないほど見てきた。

（乃南アサ『よいお年を』新潮文庫による）

（注）茫然自失：思いもしなかったことに驚き、気が抜けたようにぼんやりすること。

問い　貴子はなぜ穏やかな気分になっていたのか。

1　久しぶりに母親と二人きりで外出していたから
2　母親が元気だから自分も元気に生まれてきたから
3　母親が幸せなほうだと思えたから
4　母親が相変わらず口うるさいから

> **解き方**
>
> 「母が老いなどを…有り難かった」という気持ちから。また、最後の段落で、貴子がふだん接している人たちの「悲惨な状態」が対照的に示されていることに注目する。答えは**3**。
>
> 📖 **ことばと表現**
> □ **饒舌**：よくしゃべること、必要以上にしゃべること。
> □ **ひとしきり**：しばらくの間（あることに集中する様子）。
> □ **せわしなさ**：休む間もなく忙しいこと。
> □ **棘**：thorn ／刺／ Cái gai, gai
> □ **気に障る**：いやな気持ちを起こさせる。
> □ **無縁**：関係がないこと。
> □ **すがる**：助けてもらおうと頼りにする。

✏️ やってみよう・2　次の文章を読んで、後の問いに答えなさい。

⇒答えは p.74

　自由は、ありすぎると扱いに困る。

　籠の鳥は外に出されるとすぐ空へ飛び立つのだろうか。

　暇ができたので心ゆくまで汽車に乗ろう、思う存分に時刻表を駆使してみよう、と張り切っているのだが、どうもこれまでとは勝手がちがう。いったい、どこから手をつけたらよいのか。

　会社勤めをしていた時の私の旅行は、金曜日の夜から月曜日の朝までが限度であった。その範囲内でどこまで行けるか、どの線とどの線に乗れるか、時刻表を開いてそれを検討するのが私の楽しみであった。そして気に入った案ができると実際に乗りに行った。「時刻表に乗る」ためのような旅行であった。

　けれども、会社を辞め、一時的とはいえ暇ができ、半月でも一ヵ月でも自由に乗り回せる状況を前にすると、（　①　）。

　時刻表を開いても、つい夜行列車に眼が向く。会社が退けてから出かけるという二十数年来の習慣が身についてしまっている。

（宮脇俊三『遠回りの話』ちくま文庫による）

(注)会社が退けて：仕事が終わって引き上げて。

問い　文中の（　①　）に入るものとして、最も適当なものはどれか。

1　胸がわくわくする　　　　　　　　2　戸惑いをおぼえる
3　憂鬱な気持ちになる　　　　　　　4　不安になってくる

⑤ 人物の気持ち

練習

⇒答えは p.74

次の文章を読んで、後の問いに対する答えとして最も適当なものを1～4から1つ選びなさい。

　夏のイメージは、どんなことばで表せるだろうか。暑い、夏休み、お盆、海、西瓜……国によっても、年齢によっても違うだろう。

　私の場合、学生時代の夏のイメージはずっと「羅針盤」だった。方角を示す、あの羅針盤である。ある曲の歌詞にあったもので、「羅針盤が南を指差す」という表現が頭に残り、ずっと忘れることはなかった。特にその曲が好きというわけではなかったのだが、太陽の強い光と真っ青な海と船が目に浮かび、行ったことがない南の海への激しい憧れが胸に広がった。夏は私にとって、特別な季節だった。

　就職すると環境が一変し、夏はほとんど休みがとれなくなった。学校が夏休みの時期は年末とともに最も忙しく、残業が続いた。そうなると人間は単純なもので、夏のイメージはすっかり変わってしまった。学生時代のあの憧れはどこへいったのか、「暑い」と「疲れた」に覆いつくされて、嫌いな季節になってしまったように思う。

　転職の結果、今はまた夏休みがとれる環境になっている。以前のような残業はなくなったし、行こうと思えば南の海にも行ける。実際に行く計画を立てたこともある。しかし、（　①　）。なつかしい思い出として、心がほんのりあたたかくなっただけである。

問い　文中の（　①　）に入るものとして、最も適当なものはどれか。

1　以前の暑さと疲れを思い出して、いやだった
2　学生時代の強い憧れを思い出し、どきどきした
3　昔のような熱い気持ちが戻ってくることはなかった
4　何の感情もわいてこず、かえってさびしかった

第1章 短文・中文

UNIT 6 理由や根拠

> 筆者の言葉や人物の行動について、点と点を結ぶ

パターン 1 理由や根拠が文中にそのまま表れている

例題

次の文章を読んで、後の問いに対する答えとして最も適当なものを1〜4から1つ選びなさい。

　私は猫が好きで、道を歩いているときに野良猫を見かけるといつも立ち止まって眺める。
　周りに誰もいなかったら、「ニャーオ」と話しかけることも多い。猫が私の声に気がついてこちらを見てくれるとちょっと嬉しい。でも、近づいていくと怖がらせることになるので、その場にしゃがんでじっと見るようにしている。たいていの猫は驚いて逃げてしまうが、私はそれはそれで満足している。「警戒心が強いのは野良猫として当たり前。お母さんからちゃんと教えてもらって、よかったね」と思うのだ。

問い　それはそれで満足しているのは、どうしてか。

1　野良猫を見かけて話しかけることができたから
2　野良猫がこちらを見てくれてうれしかったから
3　野良猫が驚いて逃げてしまったから
4　野良猫は警戒心が強いほうがいいと思うから

> **解き方**
>
> 理由を問う問題では、まず、理由や根拠を表す表現（〜から、〜ので、〜て、など）に注目する。結果を表す文の前にあることも、後ろにあることもある。ここでは直後の文に「〜のだ」という表現があり、これが理由になっている。**答えは4**。

⑥ 理由や根拠

✏️ やってみよう・1　次の文章を読んで、後の問いに答えなさい。

⇒答えは p.74

　妻はだんだん太ってきたのを気にして、いろいろなダイエット法を試している。最近は、炭水化物ダイエットがいいと聞いてご飯を食べるのをやめてしまい、ご飯を炊いてくれなくなってしまった。私は「少しぐらい太っているほうが可愛らしくていいじゃないか」と言っているのだが、妻は「あなたは全然わかってない」と全く相手にしてくれない。太ったことでいろいろな健康面の心配もあるが、60代になった今もおしゃれが大好きな彼女は、お気に入りの服が着られなくなるという事実が受け入れがたいというのだ。

問い　妻がダイエットを始めた一番の理由は何か。

1　太っているほうが可愛らしいと夫が言ったから
2　夫が妻を理解せず、相手にしてくれないから
3　健康面で心配することがあるから
4　お気に入りの服が着られなくなるから

パターン 2　理由や根拠が文中にそのまま表れていない

例題

次の文章を読んで、後の問いに対する答えとして最も適当なものを1～4から1つ選びなさい。

　スマホはさまざまな機能が付いていて、非常に便利なものである。これなしでは生活できないという人が筆者の周りにもたくさんいる。彼らは、スマホを家に忘れてきた日は一日中落ち着かないと言い、なくしでもしたら、個人情報の流失の恐れと金銭的な損失で、かなり落ち込むと言う。

　一方でスマホは、便利な機械として使いこなしている間はいいが、事故の原因にもなり得る。歩きながらスマホを操作することは「歩きスマホ」と呼ばれ、その危険性を指摘するテレビCMや駅などに張られたポスターを見たことがある人は多いだろう。

　また、最近は夜遅くに外を出歩く子どもをよく見かけるようになったが、スマホを所持しているケースが多いようだ。スマホを持つことでいつでも連絡ができるという安心感から、夜間の外出に対して抵抗感が薄れているのかもしれないが、犯罪に巻き込まれる可能性もあり、非常に危険だ。

　社会生活上のさまざまな危険に対して無知な子どもを守るのは親の責任だ。まず、それぞれの家庭でスマホの使い方についてよく話をすることが必要だと思う。

問い　筆者はなぜ「親子でスマホの使い方についてよく話すことが必要」と考えるのか。

1　スマホはいったん使い始めると手放せなくなるから
2　スマホは事故の原因になりうるから
3　スマホがあると夜間に外出することへの抵抗感が薄れるから
4　スマホには便利な機能が多いが、同時に危険性もあるから

解き方

① 段落ごとに何が書いてあるかを大きくとらえる。
② 質問文を読んで、①でとらえたどの部分に理由があるか見当をつける。
③ 選択肢を読み、②で見当をつけた部分と対応させながら答えを探す。選択肢が別の表現に言いかえられている場合があるので注意する。

　最後の結論に当たる部分が問われているので、各段落のまとめにすぎない1・2・3は答えにならない。<u>4が正答</u>。

ことばと表現

- □ **流失**：（情報などが）外部に流れ出てしまうこと。
- □ **所持**：身につけて持っていること。
- □ **巻き込む**：ある事態や問題に引き入れる。

やってみよう・2　次の文章を読んで、後の問いに答えなさい。

⇒答えはp.75

「プレミアム商品券」という言葉を聞いたことがあるだろうか。自治体が消費を促進するために発行するもので、最近、話題になっているものだ。

私の住んでいる市で発売されているものは、1万円で1冊購入すると1万2000円の買い物ができる商品券で、ひとり4冊まで購入できる。20パーセントお得なので、4冊買えば8000円もお得、と宣伝されている。1万2000円は1000円券が10枚と500円券が4枚の券に分かれていて使いやすそうではあるが、釣銭が出ないという制約がある。

また、使える店は市内に限られ、市内でもすべての店で使えるわけではない。あらかじめ登録された店に限られる。使える期間も限定されていて、過ぎると無効になる。

いろいろ考えなければならないのが面倒で、私は結局購入しなかった。いつもクレジットカードで支払って、せっせとポイントを貯めているという理由もある。購入した友人に聞くと、「いつもは行かない店にも行って、ちょっと高いものでも気に入ったら買おうかなという気になる」とのことで、消費を促進するという目的は達成されているようだ。

問い　いろいろ考えなければならないのが面倒とはどういう意味か。

1　今の買い物の習慣を変えなければならないのが面倒だ
2　商品券が使える店を探すのが面倒だ
3　期間内に使いきれなかったら損をするからいやだ
4　釣銭が出ないので、支払いのときに注意しなければならないのがいやだ

練習1

⇒答えは p.75

次の文章を読んで、後の問いに対する答えとして最も適当なものを1〜4から1つ選びなさい。

> だいたい旅するときはひとりなのだが、これは、人と旅なんかできねえ、という積極的選択ではなくて、だってだれもいっしょにいってくれないんだもん、という消極的理由である。
>
> 物書きという仕事をしていて、旅はいつもひとりだと言うと、団体行動が苦手な、協調性なき人間だと思われがちであるが、実際のところ、私は団体旅行が好きである。得意だとも思う。
>
> 私は集合時間にはけっして遅れないし、自由時間になってもだれかのそばをひっついて離れないし、その日解散になっても飲もう飲もうとうるさく誘ってだれかと飲みに行く。私は根っからの団体旅行的人材なのだ。
>
> そんな私が激しく苦手としているのは、団体旅行に向いていない、独立独歩型の人間である。こういう輩は、必ず集合時間には遅れ、さあ出発というところでトイレにいき、待ち合わせ場所だけ決めてまる一日単独行動をとり、そぞろ歩いていてふと気づくと姿が見えない。
>
> こういうタイプの人間がいても、とくに海外の場合、全体的に時間がルーズだから、さして問題にはならない。レストランの予約に遅れようが、ひとり足りなかろうが、スケジュールは安穏と続いていく。しかし、私はその人を心配するあまり、自分の胃が痛みはじめる始末なのである。まったくなんて団体旅行的人材なのだろう。
>
> （角田光代『いつも旅のなか』角川文庫による）

問い 筆者が独立独歩型の人間を苦手とするのはなぜか。

1 独立独歩型の人間はいつも時間を守らないから
2 独立独歩型の人間は飲みに行こうとうるさく誘ってくるから
3 その場にいない人が心配で自分の体調が悪くなるから
4 誰かが遅れてくると旅行のスケジュールが狂ってくるから

練習 2

⇒答えは p.75

次の文章を読んで、後の問いに対する答えとして最も適当なものを1～4から1つ選びなさい。

　実はこうした文章論に類するものを書くことに、私はいささかの躊躇と羞恥をおぼえざるをえない。というのは、私自身が特にすぐれた文章を書いているわけではないし、もちろん「名文家」でもないからだ。それに、私のごく身近な周辺、つまり今つとめている新聞社の内部にさえ、私など及びもつかぬ名文家や、技術的にも立派な文章を書く人がたくさんいる。いわゆる年代的な「先輩」ではなしに、純粋に文章そのものから見ての大先輩に当たるそうした人々をさしおいて、この種のテーマを書きつづることの気はずかしさを、読者も理解していただきたい。にもかかわらず書くのは、開きなおって言うなら、むしろヘタだからこそなのだ。もともとヘタだった。うまくなりたいと思いつづけてきた。中学生のころを考えてみても、同級生に本当にうまい文章を書く友人がいた。とてもかなわないと思った。はからずも新聞記者となってすでに十数年、もはや「名文」や「うまい文章」を書くことは、ほとんどあきらめた。あれは一種の才能だ。それが自分にはないのだ。しかしこれまで努力してきて、あるていどそれが実現したと思っているのは、文章をわかりやすくすることである。これは才能というよりも技術の問題だ。

(本多勝一『日本語の作文技術』朝日文庫による)

問い　筆者はなぜ気はずかしさを感じるのか。

1　自分自身も名文が書けているわけではないのに文章論を書いているから
2　周りにもっと書くのが上手な人がいるのに、ヘタな自分が書いているから
3　文章を書くのがヘタなので、うまくなりたいと思い続けているから
4　名文は書けないが、わかりやすい文章は書けるようになったから

第1章
短文・中文

UNIT 7 全体の内容

> 読解問題の基本は文章全体の理解。
> テーマや筆者が言いたいことをとらえよう。

パターン 1 キーワードをとらえ、その説明を理解する

例題

次の文章を読んで、後の問いに対する答えとして最も適当なものを1～4から1つ選びなさい。

　かつて冠婚葬祭といった場面では伝統が何より重んじられていたものだが、最近では枠にとらわれず、個人の好みや意思が尊重された結婚式、お葬式が珍しくなくなってきている。そういった変化の波はお墓にまで押し寄せており、これまでに見られなかったユニークな墓石が次々と登場している。

　伝統的な墓石といえば、素材は石で、縦に細長い直方体の正面に縦書きで家名が彫られたものであった。これが墓に対して持たれているほぼ共通のイメージだろう。ところが、近頃、霊園には、ガラス素材や、横長、球状といった全く新しいスタイルの墓石が出現している。これらの「洋型」「デザイン型」と呼ばれる新しいタイプの墓石は年々増加し、今年ついに伝統的な「和型」の割合を超えた。

　「洋型」は墓石の表面積が広いため、家名以外の文字や装飾などを刻めることで人気がある。また、「デザイン型」には、故人の趣味を反映させたギター型の墓石など、より自由な発想で故人の個性を反映させることが可能だ。さらに、「和型」に比べ高さが低いため地震に強く、手入れがしやすいといったことも、新しい墓石の増加の背景にはあるようだ。

問い　次の文のうち、本文の内容と合っているものはどれか。

1　最近、伝統的な「和型」よりも「洋型」「デザイン型」のお葬式の人気が高くなっている。
2　「和型」の墓石は、「洋型」「デザイン型」よりも掃除しやすい。
3　新しいタイプの墓石はガラスなどでできているため、地震に弱く、扱いにくい。
4　お葬式だけでなく、お墓も伝統にとらわれない個性的なスタイルに人気が出ている。

⑦ 全体の内容

> **解き方**
>
> 文中に何度も出てくるキーワードとその説明部分を把握する。キーワードは「墓」「墓石（和型、洋型、デザイン型）」。今増えている新しいタイプについては、第2段落に「「洋型」「デザイン型」と呼ばれる新しいタイプの墓石は年々増加し…」とある。答えは**4**。
>
> 📖 **ことばと表現**
> □ **冠婚葬祭**：結婚式や葬式など、家族的に行われる慣習的な行事。
> □ **彫る**：carve ／雕刻／ Khắc, điêu khắc
> □ **霊園**：広い土地に公演のように作られた共同墓地。
> □ **球状**：spherical ／球 ／ Hình cầu

✏️ やってみよう・1　次の文章を読んで、後の問いに答えなさい。

⇒答えは p.75

　空の旅で気になることとしてよく挙げられるのは、機内の空気の乾燥である。そのせいで、目やのど、鼻の粘膜が乾燥して痛くなったり、肌や唇が荒れたりする。乾燥対策にマスクや目薬、リップクリームが欠かせないという人も多いだろう。

　一般に、快適な湿度は 40～60 パーセントと言われているが、機内では 20 パーセント以下にまで低下することも珍しくない。乗客にとっては決して快適とはいえない環境なのだが、機体にとっては必要不可欠な環境なのだという。つまり、金属でできている機体のさびや腐食を防ぐためには、湿度を下げ、機内の乾燥を保たざるを得ないのだ。

　ところが、金属以外の素材でできた機体が開発され、数年前から就航しているのだという。この新素材は金属と違ってさびる心配がないため、機内の湿度をこれまでよりは高く保てるという。また、強度も高く、機内の気圧も地上に近い状態を作りだすことができ、耳鳴りなどを軽減する効果もあるらしい。

　今後この新素材による航空機の普及が進めば、空の旅はずっと快適なものになるのではないだろうか。

問い　問い次の文のうち、本文の内容と合っているものはどれか。

1　航空機の種類を問わず、機内の湿度は低ければ低いほどよいと考えられている。
2　新素材でできた航空機の機内の湿度は 40～60 パーセントに保たれている。
3　新素材でできた航空機の普及のおかげで、機内の環境を気にせず利用できるようになった。
4　新素材でできた航空機は、湿度、気圧のどちらにおいても、従来の航空機より快適である。

パターン 2 本文の内容と合う例を問う

例題

次の文章を読んで、後の問いに対して最も適当な答えを1〜4から1つ選びなさい。

　私は子供の頃から正直は何よりの美徳だと教えられて生きてきた人間である。

　人の信頼を得るのは何よりも「正直さ」である、たとえ過ちを犯しても正直にいえば許されると信じている子供だった。だからお客の靴を隠したり、落書きをしたりした後、進んで親のところへ正直にいいに行った。

　正直は美徳であると教えている親は、その正直さを褒めねばならないので、された悪戯について叱ることを忘れてしまう。ついに私は「正直さを見せるために悪戯をする」という仕儀に到ったくらいであった。

　長じても私の正直愛好癖（？）は抜けず、うまくない料理を、義理にうまいとはいえず（従ってテレビの食べ歩き番組のレポーターを私はホントにえらい人だと思う）、生れたての赤ン坊を見せられてもどうしても「可愛い」とはいえないで苦労してきた。

　この世はうまくない料理もうまいといい、猿の親戚みたいな赤ン坊でもまあ可愛いといわなければならない仕組になっている。それがこの世の常識で、その常識あってこそ、住みにくいこの世が円滑に運営されるのだ。それが、この頃どうやらやっとわかってきた。

（佐藤愛子『佐藤愛子の箴言集　ああ面白かったと言って死にたい』海竜社による）

問い　正直さを見せるために悪戯をする例として適切なものは、次のどれか。

1　義理にうまいと言えないにもかかわらず、料理に悪戯をしてまずくする。
2　まず悪戯をすると両親に言っておいてから、悪戯をする。
3　悪戯は隠れてするものの、その後親に隠さず報告する。
4　悪戯をしているところを両親に隠さず、見ておいてもらう。

解き方

何もしなければ正直さを親に見せることはできないが、隠すべき悪戯をして報告すれば正直さを親に見せることができる。自分の正直さを見せるとは、悪戯をしても隠さず報告するということ。2・4の方法では、親に止められて悪戯できない。答えは**3**。

やってみよう・2　次の文章を読んで、後の問いに答えなさい。

　日本の成人の睡眠時間は6時間以上8時間未満の人がおよそ6割を占め、これが標準的な睡眠時間と考えられます。睡眠時間は、日の長い季節では短くなり、日の短い季節では長くなるといった変化を示します。

　夜間に実際に眠ることのできる時間、つまり一晩の睡眠の量は、成人してからは加齢するにつれて徐々に減っていきます。夜間の睡眠時間は10歳代前半までは8時間以上、25歳で約7時間、その後20年経って45歳には約6.5時間、さらに20年経って65歳になると約6時間というように、健康で病気のない人では20年ごとに30分ぐらいの割合で減少していくことが分かっています。一方で、夜間に寝床で過ごした時間は、20〜30歳代では7時間程度ですが、中年以降では長くなり、75歳では7.5時間を越えます。

　昔から、年をとると徐々に早寝早起きの傾向が強まり、朝型化することが知られていますが、加齢による朝型化は男性でより強いことが分かっています。

　個人差はあるものの、必要な睡眠時間は6時間以上8時間未満のあたりにあると考えるのが妥当でしょう。睡眠時間と生活習慣病やうつ病との関係などからもいえることですが、必要な睡眠時間以上に長く睡眠をとったからといって、健康になるわけではありません。年をとると、睡眠時間が少し短くなることは自然であることと、日中の眠気で困らない程度の自然な睡眠が一番であるということを知っておくとよいでしょう。

（厚生労働省健康局「健康づくりのための睡眠指針2014」2014年3月による）

問い　次のうち、本文の文の内容と合っているものはどれか。

1　健康で病気がない人でも、年をとるにつれて睡眠時間が長くなる傾向がある。
2　75歳では、眠っている時間以外にふとんの中で過ごしている時間が1時間半以上ある。
3　男性は年をとると自然に早寝早起きになるので、日中、眠くなって困ることも減る。
4　生活習慣病やうつ病にならないように、年をとっても6〜8時間寝るようにしたほうがよい。

練習

⇒答えは p.75

次の文章を読んで、後の問いに対する答えとして最も適当なものを1〜4から1つ選びなさい。

　私には整理の才能があるようだった。若い頃は陶器も好きで買い込んだが、また今度は惜しげもなくもらってもらった。物置も食器戸棚も、整理すると空間が生まれる。私はその空間を、貴重なものと感じるようになったのである。

　その空間は、私が死んだ時には、残された家族が「片付けなくていいので」ほっとする空間だろうと思われた。私が残すべきは、ものではなくて、彼らが何にでもすぐさま使える空間であるべきだった。

　空間はまたしかし、私に心の自由も与えてくれた。もしほんとうに再び欲しいものができたら、本でも陶器でも買えばいい。そう思うことで、私は未来が閉ざされているのではなく、まだ前方に開けている、と感じることができた。

（曽野綾子「すがすがしい空間」『オール讀物（2011年1月号）』文藝春秋による）

問い　筆者は空間をどのような場所ととらえているか。あてはまらないものを1つ選びなさい。

1　片付けが不要なほっとする場所
2　使いたいときすぐに使うことができる場所
3　必要なものが欠けているようで不安な場所
4　今後の使い方を自由に考えられる場所

第1章
短文・中文

UNIT 8 筆者が言いたいこと

> 読解で最も問われるもの。
> 筆者の考えが表れている部分をしっかりとらえよう。

パターン 1 主張を表す表現が複数回出てくる

例題

次の文章を読んで、後の問いに対する答えとして最も適当なものを1〜4から1つ選びなさい。

　　どのようなスポーツの中継においても、解説者が果たす役割は大きい。解説者は、まずそのスポーツを初めて見る人でも楽しめるよう、ルールや技などをわかりやすく説明することが求められる。また、実況アナウンサーが伝える目の前で展開される試合に的確なコメントを加え、さらに各選手やチームの過去の成績、最新情報、ファンの興味をそそるエピソードなども機会をとらえて紹介していかねばならない。解説者によって視聴者に有意義な情報が提供され、そのスポーツや選手の魅力が最大限に視聴者に伝えられれば、そのスポーツのファンは確実に増えることだろう。さらに、単なるファンだけでなく、競技人口を増やすことにもつながっていく。視聴者を満足させる解説者は、そのスポーツの発展に大きな影響力を持つ重要な存在なのである。

問い　筆者が一番言いたいことは何か。

1　優れた解説者はファンを育て、その競技を広く支える役割を果たす。
2　解説者の仕事量は実況アナウンサーに比べてかなり多く、その分責任が重い。
3　解説者は視聴者が知りたがっていることをわかりやすく伝えねばならない。
4　スポーツを発展させるために、スポーツ中継には必ず解説者が必要だ。

POINT

短文、中文程度の長さであれば、筆者の主張はほぼ一つに絞られる。客観的事実を述べているのか、筆者の主張を述べているのか、文末表現に注意して読む。

解き方

前半で解説者の仕事内容、後半でその役割を述べている。〈解説者の役割は単なる「解説」にとどまらない〉というのが筆者の述べたいこと。答えは **1**。

ことばと表現

- 実況(する)：実際の状況。ここでは、それを放送で伝えること。
- 競技：技術の高さを争うこと。特にスポーツの試合をすること。

やってみよう・1　次の文章を読んで、後の問いに答えなさい。

⇒答えは p.75

　この世は「有」と「無」の世界といいますけど、その「有」というのはいのちのことです。「有」は「有」であるときには、それのほかに生きる道はないだろうと思っておりますが、「無」なるものをバカにしちゃいけません。「無」は「有」のお母さん、いのちのお母さんともいえるんだから。時間も空間も結局は同じだと思います。時間がなければ空間はありえないし、空間がなければ時間はありえないというのが本当だと思うのです。それが宇宙なんです。いつでも宇宙は無限なんです。無限の中でわれわれは生きておるんだと。要するに「無」の中に「有」があるんだ、「有」の中に「無」があるんだということになるわけです。

（まど・みちお『百歳日記』日本放送出版協会による）

問い　この文章で筆者が最も言いたいことは、次のどれか。

1　「有」である子は、母である「無」をバカにしてはいけない。
2　人は命のある間に親孝行をして、時間を有意義に使うべきだ。
3　「有」も「無」も、どちらも互いに欠かせないものだ。
4　宇宙は無限で、「有」と「無」を超越した存在である。

⑧ 筆者が言いたいこと

パターン 2 主張を表す表現が最後に出てくる

例題

次の文章を読んで、後の問いに対して最も適当な答えを1～4から1つ選びなさい。

　いつのころからか、毎年のように日本各地に世界遺産が誕生するようになってきた。つい先日も、ある神社が再来年の世界遺産認定を目指しているといったニュースが流れていた。だが、そのニュースが気になったのは、神社そのものへの関心からではなく、再来年の認定を目指しているからだ。つまり、来年の認定を目指している他の候補が既に存在しているため、その神社については再来年を目指すというのだ。そして、少なくとも既に再来年の申請分まで、世界遺産候補が決まっているらしいのだ。世界遺産はこのままずっと増え続けていくのだろうか。

　日本には既にいくつもの世界遺産が存在するが、そのすべてを知っているという人が一体どれほどいるのだろう。元々知名度が低かった遺産の中には、選ばれた直後こそ観光客が押し寄せ賑わったものの、今ではそのブームが去ってしまったところもあると聞く。逆に観光客の急増で、渋滞やゴミ問題などの対応に追われ、世界遺産に認定される前より環境が悪化しているところもあるという。

　遺産の保存、保護という面では「世界遺産」というお墨付きが逆効果になることもあるのだ。そのようなお墨付きなど無くとも、後世へ伝えなければならないものはそれとして、我々自身の手で着実に保存、保護していくことこそが必要なのではないだろうか。

問い 筆者が最も言いたいことは何か。

1　毎年、世界遺産認定を目指す必要はない。
2　日本の世界遺産は多いわりに、知名度が低いのが問題だ。
3　世界遺産は、よく知られた有名なものでなければならない。
4　世界遺産かどうかにかかわらず、守るべき遺産がある。

解き方

　第1、第2段落で世界遺産に対する筆者の疑問と問題点が示されている。筆者の主張が述べられているのは第3段落。「〜ではないだろうか」は、主張を述べる際によく使われる文末表現。答えは**4**。

ことばと表現

- **世界遺産**：World Heritage ／世界遗产／ Di sản thế giới
- **認定(する)**：recognize, authorize ／认定／ Công nhận, chứng nhận
- **知名度**：世間にその名がどれだけ知られているか、ということ。
- **お墨付き**：力を持つ人や機関が十分だと認めて与える許可や保証。

やってみよう・2　次の文章を読んで、後の問いに答えなさい。

⇒答えは p.75

　脳は記憶することを意識しない限り、今見たり聞いたりしたばかりのものでも覚えていないものだ。そう言われると大抵の人は「私は違う」と思ってしまう。勿論ちょっとした物忘れやうっかりミスはするけれども、脳に病気もなく健康であり、記憶力には自信があると言うのだ。

　あるテレビ番組で、人の記憶力がいかに信用できないものかが明らかにされた。ステージに1人の男が登場し、観客に対して記憶力を試すいくつかの質問をした。その中の一つに、「目をつぶって、私の服装を思い出せる人は手を挙げてください。」というものがあったが、多くの手が挙がっていた。

　その後、彼は観客の一人をステージに上げ、あの手この手でだましてみせ、客席にいた人々はその様子を笑いながら観ていた。自分はあの人のように簡単にだまされはしないと思いながら。

　ところがその観客を席に返してステージを去る前に、男は改めて客席の人々に問うた。
「私は今何を着ていますか。」

　明らかに彼の服装は数分前とは異なっていた。ネクタイは消え、シャツの色・柄も異なっていたのだ。しかしほとんどの観客は彼の服がいつ変わったのか全く思い出せなかった。彼の話やパフォーマンスに関心が行き、彼の服装を記憶することには意識が向いていなかったのだから当然だ。

　この例からわかるように、人の記憶はそれほど確かなものではない。覚えようと意識しない限り、情報は脳に残らず通り過ぎてしまい、「忘れる」ことすらできない。記憶とは無意識にできるものではなく、万全ではないということを忘れてはならないのである。

⑧ 筆者が言いたいこと

問い 筆者が最も言いたいことは何か。

1 健康な脳の持ち主でも、記憶したい情報は意識的に記憶する必要がある。
2 脳に病気がない人でも、簡単にだまされる可能性があるので注意が必要だ。
3 健康な脳に意識的に記憶した情報であれば、忘れることはないはずだ。
4 脳の仕組みを知らない人の記憶は、信用できないものだ。

練習

⇒答えは p.76

次の文章を読んで、後の問いに対する答えとして最も適当なものを1〜4から1つ選びなさい。

> あるところに年中、夫婦喧嘩ばかりしている夫婦がいた。私ははじめ、その夫なる人をやさしさのない人だと思っていた。ちょっとしたことにもすぐに腹を立てて奥さんや子供をどなったり、殴ったりするからである。ところがある日、私はその奥さんが、
> 「ああ見えてもうちの主人はやさしいのよ」
> といっているのを聞いて驚いた。
> その奥さんは片脚が短いうえにひどい近眼だったが、彼はどんなに怒ったときでも、そういうことだけは一度も口にしたことがなかったという。
> 夫婦喧嘩ばかりしているからといって、必ずしも仲の悪い夫婦だと決めることはできない。やさしい人に見えてもやさしいとは限らないし、やさしくない人に見えてもやさしい人がいるのである。
>
> （佐藤愛子『佐藤愛子の箴言集　ああ面白かったと言って死にたい』海竜社による）

問い 筆者が最も言いたいことは何か。

1 奥さんがやさしいと言っても、殴ったりどなったりする夫は許せない。
2 人の好みは、それぞれ違うもので、簡単には理解できない。
3 やさしく見えてやさしくない人より、やさしくなく見えてもやさしい人のほうがいい。
4 夫婦仲の良し悪しを、他人が表面的な事実からきめつけることはできない。

第1章 短文・中文

UNIT 9 連絡文

スタイルごとに文や情報の流れを理解しておく

パターン 1　手紙文

例題

次の文章を読んで、後の問いに対する答えとして最も適当なものを1～4から1つ選びなさい。

　前略　彩子さん、この度は結婚式にご招待いただいたのに、出席できなくなってしまい、本当に申し訳ありません。一旦は出席のお返事をしておきながら、急な海外出張のため、やむを得ず欠席させていただく次第です。直前の変更でご迷惑をおかけしてしまい、心からお詫びいたします。どうぞお許しください。
　思えば、お二人に初めてお会いしたのは、八年前に入学した大学のテニスサークルでしたね。学生時代、みんなで真っ黒になって汗を流したことを懐かしく思い出します。まさに私達の青春でしたね。その頃から彩子さんと大輔さんはとてもお似合いでした。お二人が愛を実らせて、新生活を始められるとお聞きしたときは、まるで自分のことのようにうれしかったです。彩子さんのウェディングドレス姿をとても楽しみにしておりましたのに、残念でなりません。
　落ち着かれたら、ぜひお会いして、改めてお祝いの気持ちをお伝えしたいと思っています。本日、別便で心ばかりのお祝いのプレゼントをお送りしました。新居で使っていただければ幸いです。
　お二人の末永い幸せを心よりお祈り申し上げます。
　取り急ぎ、お詫びまで。

草々

二月一七日

大谷　彩子様

谷山　恵

問い　谷山さんがこの手紙で一番伝えたいことは何か。

1　結婚式の出席をキャンセルして、申し訳ないということ
2　彩子さんの結婚式に出席できなくなり、残念でたまらないということ
3　彩子さん夫婦の結婚を喜び、幸せを心から祈っているということ
4　お祝いの品物を送ったので受け取ってほしいということ

⑨ 連絡文

POINT

《手紙文のポイント》

① 原則、手紙文は 前文 − 主文 − 末文 − 後付 の構成だが、急ぎの場合などは、前文 の挨拶を省き、いきなり 主文 である用件から述べることもある。末文 は最後の挨拶で、後付 には日付、署名、宛名を書く。

② 筆者が伝えたいことは 主文 で具体的に述べられ、末文 で再び、まとめとして短く述べられる。

解き方

この手紙は主文から始まっている。キーワードは「申し訳ありません」「お詫び」であり、末文でも繰り返されていることから、詫び状であることがわかる。したがって、3、4は×。自分が残念な気持ちよりも、相手に詫びることが目的なので、答えは1。

やってみよう・1　次の文章を読んで、後の問いに答えなさい。

⇒答えはp.76

さくら出版株式会社
中村健様

拝啓
突然お手紙を差し上げる失礼をお許しください。
私は緑山大学社会学部3年に在学中の青木陽一と申します。現在、就職活動を始めたところで、大学の卒業生名簿からさくら出版株式会社にお勤めの中村様のお名前を拝見して、ぜひ出版業界やお仕事の内容についてお話をお聞きしたく、ご連絡させていただきました。
私はマスメディアを専攻しており、できればその方面に就職したいと考えています。
子どもの頃から本が大好きで、特にさくら出版の「教養シリーズ」を愛読し、自分も人々の知的好奇心を刺激するような本に携わる仕事がしたいと考えるようになりました。しかし、ただ本が好きだというだけで務まる仕事でないことは承知しております。
そこで、出版のお仕事に関する中村様のご経験やお考えなどをぜひお伺いしたく、お会いいただけないでしょうか。下記の連絡先までお返事いただければ幸いです。
まことに一方的で厚かましいお願いで恐縮ですが、どうぞよろしくお願いいたします。

敬具

平成二十七年九月二十日

緑山大学社会学部　青木陽一
TEL：080-1234-5678
E-mail：y-aoki@abcd.ne.jp

問い 青木さんがこの手紙で一番伝えたいことは何か。

1 中村さんに就職活動について助言してほしいということ
2 出版関係の就職先を紹介してほしいということ
3 出版業界の現場の仕事を具体的に知りたいということ
4 中村さんに会ってほしいということ

パターン 2 メール文

例題

次の文章を読んで、後の問いに対して最も適当な答えを1～4から1つ選びなさい。

温泉同好会の皆様

恒例の同好会旅行のお知らせです。
昨年の東北温泉巡りに続き、この度は南九州温泉巡りを計画しています。
　日程は一応4月5日からの3日間を予定しておりますが、皆さんのご都合によっては変更もあり得ます。ということで、早めに皆さんのご都合を伺いたいと思います。つきましては、一度集まって、日程調整をしながら、大まかな旅行計画を立てませんか。お忙しいとは思いますが、ぜひご参加ください。

日時：1月25日（金）　午後7時～9時
場所：新大阪駅構内　居酒屋「梅田」
　　　ＪＲ新大阪駅北改札口よりすぐ　　電話06-1234-5678

1月15日までにこのメールに返信いただき、出欠をお知らせください。
久しぶりにお会いできるのを楽しみにしております。

田中

問い このメールを受け取った人は、まず何をしなければならないか。

1 南九州温泉巡りに参加できるかどうかをメールで連絡する。
2 南九州温泉巡りに参加できるかどうかを電話で連絡する。
3 旅行の計画を立てる会合に行けるかどうかをメールで連絡する。
4 旅行の計画を立てる会合に行けるかどうかを電話で連絡する。

⑨ 連絡文

POINT

《メール文のポイント》

① メールの場合、季節の挨拶などを書かず、最初から用件に入ることが多い。
② 主題・用件の提示 → 具体的な内容（通知・依頼など） という順で構成される。

解き方

このメールの主題は「一度集まって」「大まかな旅行計画を立て」たいということである。旅行そのものの出欠を聞いているのではないので、1、2は×。連絡方法は「このメールに返信」とあるので、答えは3。

やってみよう・2

次の文章を読んで、後の問いに答えなさい。

⇒答えはp.76

桜山高校第23期3年C組の皆さんへ

卒業して早や10年がたちましたが、皆さんお元気ですか。
実は、我らが担任の山田先生がこの度、本を出版なさいました。
内容はご専門の万葉集についてのようです。
また、先生はこの3月に定年を迎えて退職され、退職後は東西大学文学部で講師をなさることが決まっているそうです。

そこで、桜山高校の卒業生有志で先生の退職と出版を記念してパーティーを開きたいと思います。C組は卒業以来、集まる機会もなかったことですし、10年ぶりのクラス会も兼ねて、みんなでにぎやかに先生のお祝いをしようではありませんか。

クラスでの2次会も計画していますので、お時間があればそちらにもご参加を。
パーティーの詳細は以下の通りです。出欠の連絡は2月20日までに高橋までメールでお願いします。
※連絡先がわからない方が何名かいらっしゃいますので、拡散を希望します！

● 日時：3月20日（土）　午後5時～7時
● 場所：ふじホテル　1階「光の間」
● 会費：12,000円（パーティー参加費と先生への記念品代）
● 幹事：高橋まり子　電話090-1234-5678
　　　　　　E-mail：m-takahashi@pqr.ne.jp

問い このメールは何を伝えることを目的にしたものか。

1 担任の山田先生が退職し、本を出版するということ
2 卒業以来、10年ぶりにクラス会をして楽しもうということ
3 山田先生の退職・出版記念パーティーに参加しようということ
4 パーティーのことを多くの卒業生に知らせてほしいということ

練習1
⇒答えはp.76

次の文章を読んで、後の問いに対する答えとして最も適当なものを1～4から1つ選びなさい。

　　前略　めぐみ先輩、ご無沙汰して申し訳ありません。
先日、佐藤さんより、交通事故で入院なさっていたと聞き、大変驚いてお手紙を書いている次第です。もう、ご退院になったとか。知らなかったとはいえ、何のお見舞いもできず、申し訳ございませんでした。骨折だけで済んだのが、不幸中の幸いだったとお聞きしました。それにしても、さぞ、痛い思いをなさったことと思います。考えると胸が痛みます。リハビリ、お辛いでしょうが、がんばってください。
　私は夫の転勤で、半年前からジャカルタにおります。初めての海外生活のうえ、4歳と7歳の子どもを連れての引っ越しで、何かと慣れないことも多かったのですが、最近になってこちらの生活を楽しむ余裕も少し出てきました。子どもたちも元気に幼稚園と小学校に通っております。食べ物もおいしく、美しい観光地もありますので、お元気になられたら、ぜひ遊びにいらっしゃってください。こちらの絵はがきを同封いたします。
　それでは、ご回復を心よりお祈り申し上げます。
　　　　　　　　　　　　　　　　　　　　　　　　　　　　　　　かしこ

　　六月十日

　　　　　　　　　　　　　　　　　　　　　　　　　　　　　　　桜田春子

森田めぐみ様

問い この手紙で一番伝えたいことは何か。

1 ご無沙汰して、事故のことを知らなくて申し訳なかったということ
2 事故のことを聞いて驚き、早く元気になってほしいと願っているということ
3 夫がジャカルタに転勤になり、家族4人元気に暮らしているということ
4 海外生活にも慣れてきたので、ぜひ遊びに来てほしいということ

⑨ 連絡文

練習2

⇒答えは p.76

次の文章を読んで、後の問いに対する答えとして最も適当なものを1~4から1つ選びなさい。

お父さんへ

　お父さん、今まで育ててくれてありがとう。
　お父さんとひろ子、お母さんと私が家族になったのは私が7歳の時だったね。私は家族が増えたのはうれしかったけど、お母さんをとられてしまったようで、素直に「お父さん」って呼ぶことができなかった。それから健一が生まれて、私達は5人家族になったね。
　でも、お母さんが病気で亡くなった時、悲しくて悲しくて泣いてばかりの私に「これからはお母さんの分まで俺がはるかを守る。みんなで一緒にがんばろうね」と言いながら、お父さんも泣いていたね。
　それからお父さんは、一人で私達3人を一生懸命育ててくれました。中学・高校時代のお弁当にはいつもしょっぱい卵焼きが入っていたね。
　誠さんと結婚のあいさつに行った時、真っ赤な目で「俺の大切な娘をよろしく頼む」と言ってくれたお父さん。その夜、初めて二人でお酒を飲みに行ったね。
　お父さん、いつの間にか心から「お父さん」と呼んでいます。お父さんとお母さんのおかげでこんなに温かい家族になれたことを心から感謝しています。
　ひろ子、健一、今まで本当にありがとう。
　お父さん、そして誠さんのお父さん、お母さん、今日から二人で力を合わせて、仲良く楽しい家庭を築いていきます。どうぞよろしくお願いします。

はるか

問い　これは何を伝える手紙か。

1　今まで育ててくれた父への感謝
2　心から「お父さん」と呼べるようになった喜び
3　子どもの時から今までの家族の温かい思い出
4　自分と結婚相手の結婚の決意

第1章 短文・中文

UNIT 10 情報検索

> たくさんの情報の中からより早く大事な部分を見つけ、整理する

パターン 1 条件が箇条書きされている

例題

右のページは高速バスの乗車券購入の案内です。下の問いに対する答えとして最も適当なものを1つ選びなさい。

1 今は木曜日の夜の8時だ。コンビニで4日後のバスのチケットを購入したが、時間を間違えてしまった。1本早いバスに乗りたい。どうすればよいか。

1 端末で新しいチケットを買い直して、レジで事情を話して精算する。
2 明日の営業時間内にそよ風バスの窓口に行って、新しいチケットを買い直す。
3 チケットセンターに電話して、時間変更の希望を伝える。
4 当日、1本早いバスに乗車して、運転手に時間を変更したことを伝える。

2 友人と4人でバスを利用して旅行する。近くの席に座って、おしゃべりを楽しみたい。乗車券の正しい買い方はどれか。

1 チケットセンターで指定席を予約して、旅行当日にバスで乗車券を購入する。
2 チケットセンターで指定席を予約して、コンビニの端末で乗車券を購入する。
3 コンビニの端末で乗車券を購入し、当日早めに行って、近い席を確保する。
4 コンビニの端末で購入した乗車券を窓口に持って行って、指定席を確保する。

そよ風ライナー
高速乗り合いバスのご予約について
✳ ✳ ✳ ✳ ✳ ✳ ✳ ✳ ✳

※ 座席は全席指定です。予めご予約ください。なお、空席がある場合は、当日、予約無しでもご乗車いただけます。

※ 乗車券は1か月前から当社窓口(月～金9:00～18:00)で予約販売しております。また、チケットセンター Tel:03-5796-6009 (6:00～23:00)で電話予約を承ります。

※ 電話予約されたお客様は、なるべく乗車日の3日前までに乗車券をお買い求めください。

※ 6時から23時まで、コンビニの店頭でも乗車券を購入できます。
（※ご乗車の1カ月前(前月の同日)のみ13:00～23:00）

※ お近くのコンビニの店頭端末の操作で予約・発券ができます。端末を操作後、30分以内にレジにて運賃をお支払いください。

※ お電話で予約された方も、端末で発券することができます。

※ ご予約の変更・取消やご購入後の変更・払い戻しは、コンビニ店頭・当社窓口ではできません。お手数ですが、上記チケットセンターまでお問い合わせください。

※ 端末でのご予約の場合、座席の選択はできませんので、ご了承ください。

※ 始発停留所での出発時間の30分前まで発券可能です。ただし、上り第1便は前日23:00までです。

そよ風バス株式会社

解き方

1. 時間の「変更」の項目を見る。コンビニも窓口も×。全席指定なので、**4**も×。答えは**3**。

2. 「座席の選択」についての項目を探す。コンビニの端末での予約は×。窓口で予約・購入するか、チケットセンターで予約⇒コンビニか窓口で購入するか。答えは**2**。

やってみよう・1

⇒答えは p.76

右のページは図書館の利用に関する案内です。下の問いに対する答えとして最も適当なものを1つ選びなさい。

[1] 借りていた本をなくしてしまった場合、どうすればよいか。

1 リクエストサービスで同じ本の購入を申し込んで、代金を支払う
2 自分で同じ本を探して購入して、返却ボックスに入れておく
3 なくしたことを図書館に届け出て、同じ本を買って弁償する
4 自分で同等の価格の本を購入して、図書館に持って行く

[2] 貸し出しができるのは次のどの場合か。

1 1カ月前に10点借りて全部返却したつもりだったが、1点返し忘れていた場合
2 欲しい資料が7点貸し出し中だったため、貸し出しを予約する場合
3 2週間前に借りた10点のうち、本2冊とDVD1枚を続けて借りたい場合
4 登録したパスワードを使ってインターネット予約で本3冊を借りたい場合

大原市立図書館　利用のきまり

ご利用の際には、下記のきまりをお守りいただきますようお願いします。

○利用者カードについて

資料の貸し出し及び自習室の利用には、利用者カードが必要です。利用者カードは市内にお住まいの方、または、在学（園）・在勤されている方に発行します。

○資料の貸し出しについて

貸し出しは1人1回につき10点まで（うちCD・映画DVDは各2点まで）、期間は2週間です。返却期限内にお手続きいただき、他の方の予約がない場合に限り、1回だけ継続することができます。ただし、CD、映画DVDの継続貸し出しはできません。

○返却期限を過ぎた場合

返却期限日をお守りください。返却期限日を15日以上過ぎても返却されないときは、追加で貸し出しができなくなります。

○資料の破損・紛失について

資料を汚したり、破損・紛失したりしたときは、当館までご連絡の上、原則、同じもので弁償していただきます。

○返却ポストについて

閉館中の返却は返却ポストをご利用ください。ポストは当館以外に大原情報ライブラリー前に設置してあります。

○リクエストサービスについて

リクエスト点数は5点（うちCDは1点・映画DVDは1点）まで受付します。貸出中の場合は予約受付順にお渡しします。当館にない場合、購入や他市の図書館からの借用などでご希望に添えるよう努めます。

○インターネットサービスについて

大原図書館のホームページや携帯サイトから、ご自分の貸出状況・予約状況の確認や予約、また貸出資料の継続手続きをすることができます。ご利用には事前にパスワード登録が必要です。当館カウンターでお申込みください。

パターン 2 表から答えを探す

例題

　右ページはある日本語学校の外国人学生のための奨学金のリストです。下の問いに対する答えとして、最も適当なものを1つ選びなさい。

[1]　タイ出身の男子学生アナンさん（28歳）は去年、日本語能力試験のN2に合格した。家は大阪市で、卒業後は関東での就職を希望している。彼が応募できる奨学金はいくつあるか。

1　2つ
2　3つ
3　4つ
4　5つ

[2]　アメリカ出身のジョンさん（23歳）は先月来日して、これから2年間、この学校で勉強する予定だ。日本語は勉強し始めたばかりだが、卒業後は薬学系の大学院に進学したいと考えている。最も多く奨学金をもらえるのはどれか。

1　文教外国人留学生等学習奨励費
2　YW留学生里親の会奨学金
3　金本化学奨学金
4　さくら国際交流会奨学金

⑩ 情報検索

	奨学金名	支給額	応募条件
1	文教外国人留学生等学習奨励費	5万円×12カ月	受給は1回に限る 30歳未満の者
2	小坂ライオンクラブ奨学金	年間50万円	アジア諸国出身の留学生 大学(院)・専門学校進学希望者
3	YW留学生里親の会奨学金	4万円×6カ月	大学(院)進学希望者 会の行事などに参加できる者
4	金本化学奨学金	半年間30万円	理科系大学(院)進学希望者 受給期間は最長2年まで
5	日泰友好スカラーシップ	3万円×12カ月	タイ出身の留学生 25歳未満の者 日本語のレベルは問わず
6	さくら国際交流会奨学金	3万円×24カ月	欧米諸国出身の学生 39歳未満の者
7	大原財団国際奨学基金	年間40万円	アジア諸国出身の女子学生 日本語能力試験N3以上合格者
8	中村フレンドシップ奨学金	2万円×24カ月	日本語能力試験N2以上合格者 大阪府内に在住の者

解き方

1. 「タイ出身、男子、28歳、N2、大阪市、就職」をポイントに表をチェック。応募条件の各項目に〇、×をつける。受けられるのは1と8。答えは**1**。

2. 選択肢にあるものはいずれも受給可能。「2年間」がカギ。結果として最も多いものを選ぶ。答えは**3**。

やってみよう・2

⇒答えは p.76

右ページはあるハイキングクラブの10月のスケジュールです。下の問いに対する答えとして、最も適当なものを1つ選びなさい。

1　マリアさんは平日、コンビニで働いているが、最近、運動不足だ。小学生の7歳の娘と軽いハイキングを楽しみたいと思っているが、参加できるハイキングはいくつあるか。

1　1つ
2　2つ
3　3つ
4　4つ

2　ナニーさんは夫と山歩きを楽しみたいと思っている。夫は学生時代に山岳部で本格的な登山をしていた経験がある。二人とも平日は仕事だが、祝日は休みである。参加してみて楽しければ、二人でクラブに入会するつもりだ。どのハイキングに参加すればいいか。

1　秋の里山ハイク
2　チャレンジハイク
3　リレーウォーク旧街道を歩く③
4　ホリデーハイクシリーズ

豊川ワイワイハイキングクラブ　10月スケジュール

- 市内在住のみなさん、いっしょにハイキングを楽しみませんか。どなたでもご参加いただけます（※会員限定コースを除く）。

1（木） 雨天決行	第1木曜ハイク	大谷公園（スタート）→みどり橋→大滝→旧街道→大谷市街→港町公演→本山駅（ゴール）	10キロ　約2時間半 ●ほとんど平坦な街歩き ●ファミリー向け
5（月） 雨天中止	ワイワイ フリーハイク	ふじ駅前（スタート）→ひまわり公園→うぐいすの森→梅ヶ池→三原山→朝日大橋→三原駅（ゴール）	8キロ　約3時間 ●適度なアップダウンあり ●一般向け
12（月祝） 雨天中止	秋の里山ハイク	緑山駅前（スタート）→ケーブル緑山駅→南山寺→星の森公園→もみじ谷→ケーブル緑山駅→緑山駅（ゴール）	10キロ　約3時間半 ●適度なアップダウンあり ●一般向け
17（土） 雨天決行	チャレンジハイク	岡本神社（スタート）→からす橋→北山古道→ひかりの森→鬼の滝→西原神社→豊川遺跡→三徳山駅（ゴール）	16キロ　約6時間 ●急なアップダウンあり ●中級向け ●クラブ会員限定
18（日） 雨天決行	リレーウォーク 旧街道を歩く③	南公園（スタート）→大里緑地→渡部神社→紫山公園→桃谷神社（ゴール）→桃谷駅	10キロ　約2時間半 ●ほとんど平らなコースを街歩き ●ファミリー向け
24（土） 雨天決行	ホリデーハイク シリーズ	王子公園（スタート）→桜山ケーブル駅→桜山街道→桜山旧街道→峠の茶屋→桜山城→王子公園駅（ゴール）	8キロ　約2時間半 ●ほとんど平らなコースを街歩き ●ファミリー向け
28（水） 雨天中止	女子限定！ 山ガールハイク	緑山駅前（スタート）→ピーク444→馬の背尾根→西光寺→ひつじが原広場→ケーブル緑山駅→緑山駅（ゴール）	8キロ　約3時間半 ●適度なアップダウンあり ●一般向け

練習

⇒答えは p.76

マルコさんが帰宅すると、右のお知らせがポストに入っていました。下の問いに対する答えとして、最も適当なものを1つ選びなさい。

[1] このお知らせを読んだ後で、マルコさんは何をすればいいか。

1 ガス器具点検の都合がいい日時を電話で知らせる
2 家にあるガス器具が使えるかどうか、確認しておく
3 押し入れにしまってあるガスストーブを出しておく
4 「ガス設備点検調査票」に印鑑を押して、用意しておく

[2] マルコさんは点検の日に急用ができて家にいなかったが、現在使っているガス器具は異常がないので、点検の必要はないと思っている。どうすればいいか。

1 当面は点検の必要がないことを電話で伝えて、次回の点検を待つ。
2 「不在連絡票」に都合がいい日時を記入して、ポストに投函する。
3 再度、点検に来てもらう日を0120-65-4321に電話して伝える。
4 担当スタッフから次回の点検日時確認の電話があるまで待っている。

ガス設備定期保安点検のお知らせ

ガスを安全にお使いいただくため、液石法に基づき4年に1度、ガス事業法に基づき40カ月に1度、ガス配管の漏洩検査、ガス消費機器などの安全点検を行っております。安全点検にお伺いする際は、事前にご訪問のお知らせを投函させていただきます。なお、ご訪問の際にお客さまから点検費用をいただくことはございません。ご協力をお願いいたします。

●点検作業の流れ

1）点検の期日が近づきましたら、案内文にて日時をお知らせいたします。ご都合が悪い場合は、お手数ですが下記の連絡先までお知らせください。

2）点検作業当日は、当社各保安センターから担当スタッフがお伺いします。
　※訪問の際には身分証明証を携帯しております。
　※点検作業はお客さまのガス設備により異なりますが、20分程度です。
　※当日はご家庭でお使いのガス器具の状態を確認させていただきます。点検がスムーズに進められるように、収納されているガス器具も全て出しておいてください。
　※点検にお伺いした際、お客さまがご不在だった場合はご不在連絡票をポスト等に投函させていただきます。お手数ですが、お客さまのご都合の良い日時をご連絡頂きますようお願いいたします。ご連絡がない場合、担当よりお電話を入れさせていただく場合がございます。

3）点検終了後、「ガス設備点検調査票」をお渡しします。印鑑のご用意をお願いします。

● ガス設備定期保安点検の日時変更時のご連絡先：
どうぞ、お気軽にご連絡ください。
０１２０－６５－４３２１（受付営業時間 8:30～17:00　土日祝を除く）

丸谷産業株式会社　　大阪府三崎市本町 3-3-33
TEL: 06-7566-7890　FAX: 06-7566-1234
http://marutanimarumaru.aq.jp

第1章 短文・中文
練習問題の答え

UNIT 1 指示詞の内容

やってみよう・1

1 正解：3
指示詞の前か後ろを見る。この場合は後ろ。「つまり」にも注目。

2 正解：3
「残らなければ貯蓄はしない」、なぜ残らないのか。先に支出するからである。

やってみよう・2

問い 正解：3
「ながら食事」「早食い」「一口が大きい」は「自分のリズムで食べる」の例。この食習慣がダイエットにはよくないのである。

練習1

問い 正解：2
「させられる」に注目。つまり、筆者が嫌がっている季節である。

練習2

1 正解：1
「ら抜き言葉・マニュアル言葉」が一般に浸透した現状に筆者は疑問を持っている。「言葉が変わっていく」「若い人が文法に興味がない」は一般に浸透したことの理由である。

2 正解：4
「こんなことを言う」「こう言いたい」の示すものが同じであることに気づくのがポイント。筆者の主張が述べられている部分に注目する。3は主張を裏づける根拠であるから×。

練習3

1 正解：1
「つまり」に続く部分が、3と4をまとめた内容になる。

2 正解：2
「時間と折り合いをつける」「時間という軸で動く」はすべて「快適な生活を送るため」である。

UNIT 2 事実関係

やってみよう・1

1 正解：2
「本人」とは「写真を撮られた人」であるが、ここでは「素敵な人の姿をスマホで撮る」とある。

2 正解：4
手や足などの部分は「心理的負担を与えることもなく」のところに注目。では、若い女性の胸やミニスカートの足は、撮られた人にとってどうなのかを考える。

やってみよう・2

1 正解：2
筆者の父が筆者に対して「私が食べているときに〜」と怒鳴ったのである。筆者が「お兄ちゃんだって」と言うと、「兄のことは放っておけ」とまた叱られたのである。

2 正解：1
筆者は父のような父親になりたいのか、なりたくないのか、筆者の父がどんな父であったかを考える。

練習1

問い 正解：4
これまでと今回の違いを探す。今回も「幼サンゴ」はしたのだが、オニヒトデに食われてしまった。

練習2

1 正解：3
「言われる」のは「筆者」。「生まれて初めて居酒屋ののれんをくぐった」ことを知っているのは?

2 正解：3
「職場でミスをして」とあるから、店に入ったのは仕事の後。店を出たのは、「もうすっかり暗くなっ

練習問題の答え

ていた」と驚きを含んだ表現から、深夜ではないと読みとる。

📖 **練習 3**

問い　正解：3

「こうした人たち」を探す。1 と 2 の示す範囲は広すぎる

UNIT 3 言葉の意味

✏️ **やってみよう・1**

1 正解：2

「息切れしている」は余裕がない状態を表す。ここでは、一つ一つのカタカナ語をきちんと理解する間もないほど、次々に新しいカタカナ語を相手にしなければならない、という意味。

2 正解：1

「てっきり」は、全く疑うことなく、そう思い込む様子を表す。

3 正解：1

カタカナで書けば「l」と「r」の違いもわからなくなるから、意味の違いもわからない。結局、どちらも同じになってしまうという意味。

✏️ **やってみよう・2**

問い　正解：4

（A）の含まれた文の次に、「かつおぶし」と「小魚」の説明をしている。（B）の直前に「あっさり」とある。

📖 **練習 1**

問い　正解：3

完成文は〈「戦争の原因」とはいえるが「平和の原因」とは言わない。〉〈「病気を一年に二回した」と言えるが、「健康を一年に二回した」とは言えない。〉。「このように」は直前の例を指している。

📖 **練習 2**

1 正解：4

1→異常気象の一例。
2→異常気象の一例。
3→地球温暖化の要因。

2 正解：3

「これ」は異常気象を指す。異常気象が起こりやすくなっている原因は地球温暖化。4「人間活動」は地球温暖化の要因であり、異常気象の直接の要因ではない。

3 正解：2

「異常気象が起こるのが正常」とある。異常気象とは短時間の大雨や強風、干ばつや冷夏が続くことを指す。

UNIT 4 話の展開

✏️ **やってみよう・1**

問い　正解：1

興奮した大型犬に遭遇した場合、「誰が冷静に…対処できるだろうか」（反語表現）⇒〈人は冷静ではいられない〉というのが筆者の主張。「恐怖や不安でパニックになる」は犬について述べたものだが、「犬自身も」から、ほかにも同様のものがある。この場合は〈犬に出あった人〉。

📚 **ことばと表現**

☐ **気の緩み**：厳しさが失われ、注意不足になること。
☐ **制御**：control, restrain ／控制／ Chế ngự
☐ **猛獣**：wild animal ／猛獣／ Mãnh thú, thú dữ
☐ **遭遇**：encounter ／遭遇／ Gặp (tai nạn, gặp nạn), gặp phải
☐ **対処**：ある事に対して適当な対応、処理をすること。
☐ **処分**：ここでは殺すこと。
☐ **万全**：全く完全で、不足の点がないこと。

✏️ **やってみよう・2**

1 正解：2

成績が悪かったのは導入率が高く、よくパソコンを使う子ども。その反対は？

2 正解：4

パソコンを教育への活かし方が「問われている」とある。

📚 **ことばと表現**

☐ **導入**：技術や方法などを新たに取り入れること。

練習1
問い　正解：4

「意外」というのは一般的なイメージと一致しないというときに使うことば。何が一般的なイメージで、何がそれと一致しない状況なのかを読み取る。パンという西洋の食べ物が日本的な街というイメージを持つ京都と一致しないと言っている。

ことばと表現
- 安土桃山時代：1573年〜1603年。
- 定着(する)：take hold, become entrenched ／定居／Gắn với, ổn định
- うなずける：納得できる。
- 寺社：神社や寺。

練習2
問い　正解：2

春と秋で呼び方が変わるが、昨今では一年中「おはぎ」とあるから同じもの。

ことばと表現
- 風物：その季節や地方の特徴を表すもの。
- 彼岸：春と秋の定められた期間で、墓参りなどをする。
- 〜にちなむ：〜との関係をもとに生まれたり作られたりする。

UNIT 5　人物の気持ち

やってみよう・1
問い　正解：1

本文の流れ：「何が起きているかわからなくて」（驚き）→「泣いた」（悲しみ）→「だって、驚いたから」（驚き）→「泣くこともできないくらい、こわかった」（恐怖）

ことばと表現
- 覆い被さる：全体を覆うような状態になる。
- うんと：たくさん、たっぷり、非常に、ずっと。
- わさわさ：落ち着きなくあちこち動いている様子。
- 目を凝らす：じっと見る。
- ぱたりと：動きが急に止まる様子。
- 色合い：色の感じ。

やってみよう・2
問い　正解：2

冒頭に「自由は、ありすぎると扱いに困る」「いったい、どこから手をつけたらよいのか」とあるので、マイナスの感情があると推測できるが、「張り切っている」ともあるので、選択肢3や4ではないことがわかる。

ことばと表現
- 思う存分(に)：満足がいくまで。思いきり。
- 心ゆくまで：十分満足するまで。
- 張り切る：積極的にやろうと気持ちを高める。

練習
問い　正解：3

夏に対する筆者の気持ちの変化を各段落ごとに読み取る。最初は「南の海への強い憧れ」だが、次に「暑さと疲れによって嫌いになってしまった」とある。最後の段落では「行こうと思えば南の海にも行ける」とあるが、「しかし」という逆接の接続詞があるため、学生時代とは違う感情を持っていることが推測できる。最後に「心がほんのりあたたかくなった」とあるので、4は×。

ことばと表現
- (お)盆：毎年夏に行われる、先祖の平和な眠りを祈るための仏教行事。
- 羅針盤：compass ／指南針／La bàn
- ほんのり：(色・香り・姿などが)かすかに現れる様子。

UNIT 6　理由や根拠

やってみよう・1
問い　正解：4

本文の内容に合っているのは1・3・4で、ダイエットの理由になっているのは3と4。一番の理由を問われているので、「受け入れがたかった」という強い拒絶の表現が使われている4を選ぶ。

ことばと表現
- 炭水化物：carbohydrate ／碳水化合物／ Thức ăn giàu cácbon hydrat

やってみよう・2

問い　正解：1

「釣銭が出ない」「店が限られる」「期間が限られる」という3つの制約に加え、クレジットカードが使えないという点も大きい。これらが「いろいろ～面倒」という気持ちにさせている。

ことばと表現
- 自治体：local government／自治体／Vùng tự trị
- 促進(する)：promote／促進／Xúc tiến, thúc đẩy
- 制約(する)：limit, restrain／限制／Hạn chế

練習1

問い　正解：3

選択肢の中で本文の内容と合っているのは1と3だが、1は独立独歩型の人間の説明だけで、苦手だという筆者の気持ちは表れていない。本文で「～始末なのである」と悪い結果を強調している内容に当たる3が正解。

ことばと表現
- 協調性：他人と助け合って物事をうまくやっていく能力や性質。
- 輩：人、人物。
- そぞろ：特に目的なく気の向くまま、何となく。

練習2

問い　正解：2

選択肢はすべて本文の内容に合っているが、「恥ずかしく感じる」理由を述べているのは1と2。2行目の「というのは」以降が理由になっているが、3行目「それに」以降でさらにはっきりと理由を説明している。

ことばと表現
- 躊躇：あれこれ迷って決心できないこと。
- 羞恥：恥ずかしく思うこと。
- 書きつづる：言葉をつなげて文章を書く。
- 気恥ずかしさ：なんとなく感じる恥ずかしさ。
- 開き直る：急に態度を変え、あれこれ考えるのをやめて自分の思うままにやる。
- かなわない：相手に力や能力が及ばない、勝てない。
- はからずも：思いがけず、意図しないで。

UNIT 7　全体の内容

やってみよう・1

問い　正解：4

キーワードは「新素材」「航空機」「湿度」。新素材の航空機の特徴について述べた第3段落の「機内の湿度をこれまでより高く保てる」「機内の気圧も地上に近い状態を作りだすことができ、耳鳴りなどを軽減する効果もある」がポイント。

ことばと表現
- 機内：飛行機の内部。
- 粘膜：mucous membrane／粘膜／Niêm mạc
- さび：rust／锈／Rỉ sét
- 腐食(する)：corrode／腐蚀／Gặm mòn, ăn mòn
- 就航(する)：to commission／开航／Tàu vào lộ trình

やってみよう・2

問い　正解：2

第2段落に「65歳になると約6時間」「健康で病気のない人では20年ごとに30分ぐらいの割合で減少していく」とあり、75歳の睡眠時間は5時間45分と計算できる。また、「夜間に寝床で過ごした時間は」「75歳では7.5時間を超えます」とある。

ことばと表現
- 加齢(する)：年齢が増すこと。
- うつ病：depression／忧郁症／Bệnh trầm cảm

練習

問い　正解：3

筆者は現在、空間をよいものとしてとらえている。3だけが空間に対して否定的。

ことばと表現
- 陶器：porcelain／陶器／Gốm

UNIT 8　筆者が言いたいこと

やってみよう・1

問い　正解：3

筆者は「有」「無」に優劣をつけていない。

✏️ やってみよう・2

問い　正解：1

脳が健康かどうかにかかわらず、記憶は意識的にしないとできないということが筆者の最も述べたいことである。答えは1。

📖 ことばと表現

- 物忘れ：物事を忘れること。
- 目をつぶる：目を閉じる。

📖 練習

問い　正解：4

筆者は奥さんの一言から、表面的にはわからなかった夫婦の強い信頼関係や(その奥さんの)夫の良い面を知った。第3段落の最初の文が筆者の最も言いたいこと。

UNIT 9 連絡文

✏️ やってみよう・1

問い　正解：4

主文に「お話をお聞きしたく」とあり、末文でも「お会いしたい、連絡してほしい」と述べているので、2と3では不十分。聞きたい内容は就職活動についてではないので、1も×。

✏️ やってみよう・2

問い　正解：3

メールの主題はパーティーで先生をお祝いしようということであり、退職と出版のお知らせだけでは不十分なので、1は×。また、同窓会が主目的ではないので、2も×。4は補足なので×。

📖 練習1

問い　正解：2

1→手紙の主題は謝罪ではない。
3→近況報告は第一の目的ではない。
4→「遊びに来てほしい」は回復を願う気持ちの表れ。

📖 練習2

問い　正解：1

2、3→1に至るまでの経緯。
4→最後の結びの言葉。

UNIT 10 情報検索

✏️ やってみよう・1

1 正解：3

図書の紛失にあたる。「連絡」「同じものを弁償」の2つが条件。

2 正解：4

1の「1カ月前」は期限オーバーで×。リクエストは5点までなので、2の「7点」は×。3の「DVD」は継続できないので×。

✏️ やってみよう・2

1 正解：2

週末か祝日で家族向きを探す。

2 正解：1

「週末」「山歩き」が条件。2は会員限定なので×。

📖 練習

1 正解：3

1は日時のお知らせが来てから。2は点検時に担当スタッフがすること。4は点検終了後。

2 正解：3

1は点検は法令で定められているので×。2は「ポストに投函」が×。4はまず自分で連絡する必要があるから×。

PART 1 基礎編

第2章 長文

A. 事実関係・論理関係に注目するパターン

- UNIT 1 解説
- UNIT 2 論説

B. 心の動きや考え方に注目するパターン

- UNIT 1 エッセイ
- UNIT 2 小説
- UNIT 3 紀行文

練習問題の答え

第2章 長文A

UNIT 1 解説

解説とは、何かについてわかりやすく説明した文のことです。まず主題を述べ、次にその説明をする場合もありますし、いろいろな例を示したあとで、まとめとしてテーマの説明をする場合もあります。

パターン 1 まず主題を示し、順に説明する

例題

次の文章を読んで、後の問いに対する答えとして最も適当なものを1〜4から1つ選びなさい。

　小坂町は、都会の家庭ごみの最終処分地という顔と別の顔を持つ。国内外から持ち込まれた資源ごみの携帯電話やパソコンなどから、電気回路が組み込まれた基板を集め、金などの貴金属やレアメタルを取り出す、いわゆる「都市鉱山」の顔である。

　町にある①小坂鉱山は、DOWAホールディングス発祥の地だ。黒鉱と呼ばれる金、銀、銅、鉛などが混じった鉱石を採掘、精錬し、足尾（栃木県）、別子（愛媛県）と並ぶ日本三大銅山として君臨した。やがて、海外から安価な黒鉱が入るようになり、競争力を失っていった。しかし、1975年に湿式煙灰処理工場を完成させて、黒鉱から銀や銅などの金属の回収方法を確立し、貴金属回収とリサイクル技術を蓄積した。94年に鉱山が閉山された後、リサイクルに大きくカジを切った。

　DOWAホールディングスの子会社で、精錬所を運営する小坂製錬の関屋宇太郎総務課長の案内で構内を歩いた。正門をくぐると、左に巨大な建屋があった。高さ15メートル、直径5メートルのTSL（Top Submerged Lance）炉だ。1300度の高温で基板などを溶かした後、比重、溶解温度、化学反応の違いを利用し、大半を占める銅のほか金、銀の貴金属を取り出す。微粉炭を熱源とし、鉱石を使わず、基板などリサイクル原料だけでも精錬することができる。最終工程の電解工場では、純度を100％に高めた金を回収し、最後に鋳型に流して延べ棒にする。

　その電解工場のなかに入った。従業員がゆっくりと槽をかきまわす。ヘルメット姿の従業員二人が、薄暗い工場のなかで、まばゆい光を放つ金の延べ棒を抱えていた、ブラシで延べ棒を研磨し、刻印を押して、倉庫に運び厳重に保管する。貴金属課のグループリーダーの佐藤司さんが言う。「この工場に配属されたとき、携帯電話から金の延べ棒が

できるんだ、と驚いた。まさに②現代の錬金術だと思う」。

　延べ棒は、長さ25センチ、幅8センチ、高さ4センチ。③12.5キロあり、持つと、ずっしり腰にくる。

　この工場で、月約40本、年間6トンの金が生産され、東京の貴金属会社に販売している。国内にただ一つ残る金山の菱刈鉱山(鹿児島県)が産する約7トンに匹敵する。小坂製錬の効率がいいのは、鉱石に含まれる金は1トン当たり40グラムにすぎないが、携帯電話には1トン当たり300グラムも含まれているからだ。

（杉本裕明『ルポ　にっぽんのごみ』岩波新書による）

1　いま①小坂鉱山は何をしているか。

1　家庭ごみの最終処分
2　鉱石の発掘
3　海外からの黒鉱の輸入
4　貴金属回収とリサイクル

2　なぜ②現代の錬金術だといえるのか。

1　家庭ごみから金をつくっているから
2　資源ごみから金をつくっているから
3　金山の鉱石から金をつくっているから
4　輸入鉱石から金をつくっているから

3　なにが③12.5キロあるのか。

1　金　　　　　2　銀　　　　　3　銅　　　　　4　鉛

4　小坂町の成功の理由はどこにあるのか。

1　鉱山が閉山されたとき、リサイクルにカジを切ったこと
2　基板などリサイクル原料だけでも精錬できること
3　年間6トンの金が生産され、東京の貴金属会社に販売していること
4　携帯電話1トン当たり300グラムも金が含まれていること

POINT

《解説文のパターンとポイント①》

解説文では、まず主題を示し、それから、全体構成や時間の流れなどに沿って順に説明をします。また、最後にまとめをすることもあります。

① 主題→何が主題か、何が問題とされているか、しっかりとらえる。
② 説明→詳しい説明。主題をふまえて読む。
③ まとめ→「筆者の言いたいこと」は、②の説明部分よりまとめに注目する

解き方

1. 地名などの固有名詞はある程度無視する。小坂町にある鉱山の話。普通の鉱山と違うこと（第1段落）に気づくのがポイント。「別の顔」は「都市鉱山の顔」。「いわゆる」の前の部分が「都市鉱山」の説明。答えは **4**。

2. 直前の「驚いた」内容は「資源ごみの携帯電話」から「金」をつくること。答えは **2**。

   📖 ことばと表現
   □ 錬金術：価値の低い金属などから金を作り出す技術。

3. 「延べ棒」はここでは「金」の延べ棒。答えは **1**。

   📖 ことばと表現
   □ 延べ棒：金属を延ばして四角く細長い形にしたもの。

4. 第2段落は〈小坂町が「君臨した」時代から「競争力を失っていった」という変化〉。その後の〈「完成」→「確立」→「蓄積」という言葉の流れ〉から成功への転換を読みとる。答えは **1**。

   📖 ことばと表現
   □ カジを切る：船の進む方向を変えること。

パターン 2 さまざまな例からまとめに進む

例題

次の文章を読んで、後の問いに対して最も適当な答えを1～4から1つ選びなさい。

　異文化体験、と言うと、外国の文化との接触のことだろうと思われるかもしれない。そうではない。日本国内の文化の違い、しかも、①言葉遣いの地域差に関することである。
　こういうことがあった。仙台から大阪に移り住んで間もなくの頃のことである。中学生くらいの男の子が二人、公園の自動販売機で何か買おうとしていた。すると、「あれ？　一万円札入らへん」と一人が言った。どうやら彼は一万円札でジュースを買おうとしていたらしい。と突然、「なんでや！」と少年の大きな声。そして、もう一人が「こいつ、調子こいてる！」と、自動販売機をけなし始めたではないか。
　筆者は初め、何が起きたのかわからず、あっけにとられてしまった。なぜ、自動販売機が人であるかのように、キレたり、けなしたりするのか。②筆者にとっては衝撃の異文化体験であったが、このことを、大阪出身の同僚に話すと、そんなことは不思議でもなんでもないと言う。洗濯機や発券機に向かって話しかけたり、テレビに向かって、もちろん、実際にはテレビに出演しているタレントに対してだが、「そうやそうや」と相づちを打ったり、「それちゃうやろ」とツッコミを入れたりすることなど、大阪では日常茶飯事なのだそうだ。
　この同僚の話では、東北人の話は短く感じるらしい。相手の話がそれで終わりとは思えず、「そんで？」と続きを聞こうとすると、「もう終わりだ」と言われたことが何度もあるという。たしかにそうかもしれない。タクシーに乗って、運転手と会話をすることはよくあるが、仙台のタクシーでは話がなかなか続かない。一言二言で終わってしまう。それでも会話が成立すればまだよい方で、かつては行く先を告げても、うんともすんとも返事をしない運転手もいた。そこへいくと、大阪のタクシーはサービス精神満点である。運転手にリードされて会話がどんどん続いていく。もっとも、それはそれで東北出身者にとっては、ついていくのに苦労することもある。
（中略）
　これらのさまざまな体験は、言葉遣いに関するもの、特にものの言い方や話し振りに関するものである。言葉のこうした面で地域差がありそうなことは、経験的にある程度気付かれながらも、十分には認識されてこなかった。日本語と外国語とで、コミュニケー

ションの方法に違いがあることはよく言われる。日本人ははっきりものを言わない、国際社会ではもっと明確に主張を述べるようにしなければいけない、といったことが、言語教育の分野でも問題にされている。一方、日本国内のこととなると、日本人の話し方はどこへ行っても大体同じであろうと思われていて、地方による違いに目が向くことはほとんどなかった。

(小林隆・澤村美幸『ものの言いかた西東』岩波新書による)

1 ①言葉遣いの地域差ついて、筆者はどのように考えているか。

1 仙台と大阪では日本語の使い方が違うので理解し合うのは難しい。
2 日本語の中には地域差があって、外国語を勉強する人は大変だ。
3 外国語との差だけでなく日本語の地域差にも注目するべきだ。
4 わざわざ外国に行かなくても日本の中でも異文化体験はできる。

2 ②筆者にとっては衝撃の異文化体験とあるが、どんなことか。

1 男の子たちが１万円札でジュースを買おうとしていたこと。
2 男の子たちが突然「なんでや！」と大きな声を出したこと。
3 男の子たちが買おうとした自動販売機に１万円札が入らなかったこと。
4 男の子たちが自動販売機に「こいつ、調子こいてる！」と言ったこと。

3 大阪のタクシー運転手の特徴として、この文章の内容に合うものはどれか。

1 話しかけると、話が一言二言で終わってなかなか続かない。
2 「そうやそうや」と相づちを打ったり、ツッコミを入れたりする。
3 話の続きを聞こうとしても「もう終わりだ」と言う。
4 運転手が話を引っぱって会話がどんどん続いていく。

4 筆者が一番言いたいことはどれか。

1 日本語のものの言い方や話しぶりにも地域差がある。
2 日本語と外国語とで、コミュニケーションの方法に違いがある。
3 日本人は国際社会でもっと明確に主張を述べたほうがいい。
4 日本国内の日本人の話し方はどこへ行っても大体同じであろう。

A. 事実関係・論理関係に注目するパターン　① 解説

🎵 POINT

《解説文のパターンとポイント②》
① 主題→まず主題をつかむ。
② 例示→具体例は主題との関係の中で理解する。例の対比にも注意。
③ まとめ→例からどのような結論に至っているかを読みとる。

解き方

1. 「言葉遣いの地域差」は主題。第１段落だけでは答えは得られないので、全体を読んでから答える（→選択肢に目を通し、全体に何が書かれているのか、ある程度予測する）。4は地域差ではなく、「異文化体験」について。あとは特に末尾（「難しい」「大変だ」「注目するべきだ」）に注目。言葉遣いの地域差は「認識されてこなかった」「違いに目が向くことはほとんどなかった」をヒントにする。答えは3。

2. 筆者は「仙台から大阪へ移り住んで」とあるので、大阪での体験に衝撃を受けたことになる。「なぜ、自動販売機が人であるかのように」とあるので、怒った相手に投げかける言葉「こいつ」が機械である自動販売機に使われていることに驚いたのである。答えは4。

3. 「仙台のタクシーでは話がなかなか続かない」「大阪のタクシーは・・・会話がどんどん続いていく」とある。答えは4。2の例は大阪の人がテレビに向かってしていること。

4. 最後の段落がまとめと考える。それまでは筆者の体験例。2と3は日本語と外国語との差。4は今まで言われてきたこと。筆者が「異文化体験」として感じたのは、日本国内での仙台と大阪の差。答えは1。

練習

⇒答えはp.122

次の文章を読んで、後の問いに対する答えとして最も適当なものを1～4から1つ選びなさい。

　ロールケーキが人気だ。ロールケーキというのはケーキの台として使われるスポンジ生地の一面にクリームを塗り、端からくるくる巻いたものを言う。断面は渦巻き状になっていて、スポンジ生地や中のクリームが見える。外側にデコレーション（飾り付け）をする場合もあるし、全くしない場合もある。巻くと言えば、日本の巻きずしに似ている。のりの上にご飯をひろげ、具を並べて巻き込むという家庭的なすしがあるが、あれのケーキ版だ。

　スポンジは、日本人が大好きな、真っ白な生クリームを絞った上に真っ赤なイチゴを配した「イチゴのショートケーキ」などの台になる。砂糖と卵を混ぜて泡立てた中に小麦粉を加え、円形の型に流し入れて焼いたものだ。ふんわりふっくら、いい焼き色に焼き上げるのには、多少の技術を要する。それにひきかえロールケーキの生地は、オーブンの鉄板にスポンジ生地を流し入れて焼くだけのもので、ふくらみがどうとか、中まで火が通っているかどうか、というような気遣いなしに、比較的失敗がなく、誰にでも簡単に焼ける。デコレーションも、ショートケーキのように凝ったクリームの絞り出しの技術も要らない。内側になる面にクリームやジャムを塗りさえすればいいのだから、子どもでもできるシンプルさだ。

　日本でロールケーキといえば、1950年代に、あるパンメーカーが洋菓子として販売したケーキに「ロール」という名前をつけたのが始まりと言われている。そこそこの長さがあり、適当に切り分けて食べるものだ。1本100円ちょっとという値段に割安感があったのと、その値段にしてはふわふわのスポンジがおいしかったのとで、息の長い商品として、今も通販サイトなどでは人気だ。ある意味、これが代表的なものだったともいえる。

　それが数年前、ふわふわの柔らかいスポンジ生地に軽くて甘さ控えめの生クリームを巻き込んだものが発売されるやいなや、生クリーム系のロールケーキが一気にブームになった。それまではケーキ屋の角っこにひっそりあったりなかったりだったロールケーキが、いきなり脚光を浴び、表舞台に引きずり出されてきた格好だ。今では専門店がいくつもでき、有名パティシエ（ケーキ職人）が手がけたロールケーキは、何カ月も前に予約するとか行列に並ぶとかしないと手に入らない。さらに、コンビニもこのブームを放っておくはずはなく、切り分けて1個ずつ包装されたロールケーキを競って販売して

いる。

　1個500円以上もするぜいたくなケーキが珍しくなくなった今でも、ロールケーキは誰でも買える手ごろな値段を維持している。シンプルなだけに、作り方や材料の質なども問われる奥深さがあるが、派手さがない分、飽きの来ないケーキであることも確かだ。多くの人に愛されるケーキとして、さらに定着していきそうだ。

1 　ロールケーキはどんな形をしているか。

1　丸くて平ら
2　四角くて平ら
3　平らな円筒形
4　細長い円筒形

2 　スポンジを焼くときに注意するのはどんなことか。

1　くるくる渦巻き状に巻けるかどうか
2　中まで火が通ってふっくらしているかどうか
3　イチゴできれいにデコレーションできるかどうか
4　生クリームをきれいに絞り出せるかどうか

3 　日本で最初のロールケーキが長く人気があるのはなぜか。

1　ロールという名前をつけたから
2　自分で切り分ける自由があるから
3　値段も手ごろで味もそこそこだから
4　今も通販サイトで売られているから

4 　多くの人に愛されるケーキとあるが、なぜか。

1　手に入れるのが難しいから
2　有名なパティシエが作るから
3　誰でも簡単に作れるから
4　シンプルだけど奥深さがあるから

第2章 長文A

UNIT 2 論説

パターン 1 筆者が言いたいこと（主張）をとらえる

例題

次の文章を読んで、後の問いに対する答えとして最も適当なものを1〜4から1つ選びなさい。

　おカネがあるひとは恵まれているといわれます。おカネは、それ自体はただの紙か銀行預金の記録などであって、モノとしての価値はありません。それは他のモノやサービスに交換できるからこそ価値があります。確かに、お金持ちはたくさんのモノ、高級なサービスなどを消費することができます。では、モノやサービスの消費量がひとの福祉の基準として適切といえるでしょうか。

　モノやサービスの消費量がひとの福祉の水準に関係があるのは確かです。おカネがないために食べるものも乏しく、狭い住居で粗末な衣服しか着られないひとが、良い境遇にあるとは到底考えられません。問題は、おカネの量やモノやサービスの消費量がひとの福祉の水準に関係があるかどうかではなく、それだけを見ればひとの福祉の水準を測るのに十分か、ということです。

　次のような例を考えてみましょう。あるお金持ちが交通事故にあって障がいを負い、車いすでの生活を余儀なくされたとします。ところが、かつての日本のように歩道が十分に整備されておらず、歩道があったとしても高い段差があるような社会状況では、この人の行動の自由は大きく制約されてしまいます。おカネがたくさんあり、豊富なモノに囲まれていたとしても、この人の境遇が恵まれているといえるでしょうか。

　また次の例も考えましょう。おカネには不自由なく、大きな家に住んでいるひとが、人種による差別を受けて共同体の中で孤立しているとします。大きな家があっても、そこに友人をよんでパーティを楽しむこともできないひとが恵まれているといえるでしょうか。

　このように、モノやサービスがあっても、それをどれだけ活用できるかは、さまざまなハンディキャップの有無といった個人的な特性や、障がい者に対する社会的対応、人種やジェンダーによる差別などの社会的状況に依存します。モノやサービスの量にだけ注目していたのでは、ひとの境遇を決める他の重要な要因を見落としてしまうことになります。

> さらに、モノやサービスをたくさん消費するのに必要なおカネを稼ぐために、休日もなく働き続ける生き方が幸福であるといえるでしょうか。ひとは経済システムのなかで、消費するだけでなく労働を提供する存在でもあります。福祉評価には、人間の活動におけるその両面を考慮しなければなりません。
>
> おカネの量、つまり購入可能なモノやサービスの量は、ひとの境遇を決める大きな要素の一つではありますが、それだけでは福祉の水準を測るのに十分とはいえません。
>
> （蓼沼宏一『幸せのための経済学――効率と衡平の考え方』岩波ジュニア新書による）

1　筆者によると、「おカネの価値」とはどのようなものか。

1　ただの紙や銀行預金の記録
2　ひとの幸せの基準
3　それに相当するモノやサービス
4　それ自体で価値をもつもの

2　筆者がこの文章で最も言いたいことは何か。

1　おカネがある人は多くのモノ、サービスを消費することができるからこそ、幸せだといえる。
2　おカネがあっても、モノやサービスを多く消費することができる環境が整っていなければ幸福とはいえない。
3　おカネがあって多くのモノやサービスを活用できるということは、人の幸福度を決定する要素の一つに過ぎない。
4　おカネがあって多くのモノやサービスを活用できたとしても、心が満たされていなければ幸福とはいえない。

解き方

論説文は、まず最初に[問題提起]があり、それに続く[説明]の中で筆者の[主張]が繰り返し述べられ、最後の[結論]へと至るものが多い。

[問題提起]に対し、その答えとなるのが[主張]と[結論]。まず、この[問題提起]に用いられている表現に注目する。「～といえるのでしょうか」＝「～とはいえない」という結論であることに気がつけば、[説明]が理解しやすくなる。

①まず、問いを見て、何が問われているかを頭に入れる。
②第1段落の[問題提起]からテーマを理解し、[結論]を推測する。
③次に[主張]を探す。[説明]の中から事実や例などを除き、筆者の意見だけをつなげていく。

[1] 第1段落を中心に、おカネの定義やとらえ方を追う。
「それ自体はただの紙か銀行預金の記録」→否定的な見方（**1×**）
「モノとしての価値はありません」→**1**と同じ（**4×**）
「モノやサービスに交換…価値があります」→現在のお金（通貨）の基本的な役割（**3○**）
「ひとの福祉の基準として適切と言えるでしょうか」→疑問（**2×**）
答えは**3**。

[2] [問題提起]答え＝[結論]は多くの場合、文の終わり部分にある。キーワードの「要素の一つ」から**3**が正しいと推測し、他の選択肢の矛盾を確認する。
1 → 筆者の主張と真逆なので×。
2 → 「環境」は一つの例なので×。
4 → 一般論。正しいと思いがちだが、本文にないものは答えではないので要注意。
答えは**3**。

📖 ことばと表現
- 到底〜ない：とても〜ない、どうしても〜できない。
- 障がい：impediment, handicap／障碍／Tàn tật
- 〜を余儀なくされる：〜を避けられなくなる。

パターン[2] 主張に合っているかどうかを判断する

例題

次の文章を読んで、後の問いに対する答えとして最も適当なものを1〜4から1つ選びなさい。

　何かを感じてさっと動けるか。
　これは日ごろから〈感じる回路〉をひらいていないとできない。
　たとえば、挨拶。普段、「おはよう」とか「いただきます」といった挨拶が習慣として身についている人は、人から何かをしてもらったときにもさっと「ありがとう」が言える。あるいは、人に迷惑をかけてしまったときに「すみません」の言葉がすっと口から出る。〈感じる→反応する〉という回路がつねにひらかれている状態だからだ。
　一方、挨拶を習慣にしていない人は、他人と接したら即座に言葉をかけるという反応の回路が冷えついているので、感じてもスムーズに声が出せない。「あっ、悪いことしたな」と思っても、口ごもっているうちに謝るタイミングを失ってしまう。そして「言えなかった。……まあいいか」という繰り返しをするうちに〈感じる回路〉がますます冷えて、セン

サーさえも働かないようになってしまう。

感覚はからだの反応なので、使わないで放っておくとどんどん閉じてしまう。

日本の家屋が、畳敷きが当たり前だったときには、みんな正座が平気だった。なかには、足を投げ出して座るより正座のほうがずっと楽だという人もいて、椅子の上でもちょこんと正座するおばあちゃんなんかがいた。だが、いまは生活スタイルが完全に椅子中心なのでみんな正座が苦手になり、ものの数分も我慢ができなくなっている。

いいとか悪いということではなく、それがからだの反応というものだ。**恒常的にやっていないと、できなくなっていく。**

正座ができなくても、とりあえず生活に大きな支障を来すことはないかもしれない。が、正座することで自然に身についていた、肚に力が入り背筋がピンと伸びる感覚が、坐ることの基本姿勢として認識できなくなった。

当然、正座から得られるある種の心の安らぎも感得できなくなっている。ヨガをやったり座禅を組みに行ったりしなければ、そうしたものを得にくくなっている。

これが**感じる力、気づく力の鈍化**となると、動物のあり方としてのもっと根本的な問題に関わってくる。**生存のカギを握る自己防衛本能が働かなくなる**ということだからだ。

だまされたり、とんだところでドツボにはまってしまったりするのは、もちろんすべての原因が自分の側にあるわけではないにしても、**危険から自分を守るための感覚がうまく機能しなくなっている**ところにも一因があるのではないかと私は考えている。

（齋藤孝『違和感のチカラ 最初の「あれ？」は案外正しい！』角川oneテーマ21による）

（注）ドツボにはまって：最悪の状況になってしまって

問い 筆者の主張に合っているものを選びなさい。

1 人にだまされたり、危機に陥ったりしないためには、挨拶の習慣をつけるなどしてコミュニケーション能力を磨いておくことが必要である。
2 人にだまされたり、危機に陥ったりしないためには、昔からの生活習慣を見直し、日本人が持っていたからだの感覚を取り戻す必要がある。
3 人にだまされたり、危機に陥ったりしないためには、何かを感じてすぐに行動できるように動物的な本能を身につけなければならない。
4 人にだまされたり、危機に陥ったりしないためには、問題にいち早く気づいて行動に移せるように、常に感覚を磨いておくことが必要だ。

解き方

① まず、問いを見て、選択肢の違いを頭に入れる。
② 冒頭のカギになる言葉をとらえ、その意味を考えながら読み進む。
③ 選択肢の表現が使われている部分に線を引き、②の言葉を言い換えているものを探す。

問い　【問題提起】のすぐ後に短い結論があり、【説明・主張】－【結論】という流れ。
　　第2段落の「これは日ごろから〈感じる回路〉をひらいていないとできない」が結論。それが最後から2段落目の「感じる力、気づく力の…に関わってくる」でも繰り返されている。
　　筆者は〈「挨拶の習慣」＝言葉の感覚〉や〈「正座の感覚」＝からだの感覚〉を例に挙げているが、どちらか一方だけを重視しているのではない。終わりの2段落で総合的な危機意識の必要性を述べていることをつかむのがポイント。
　　1→言葉の感覚の例なので×。**2**→からだの感覚の例なので×。
　　3→動物的な本能については述べていないので×。⇒答えは **4**。

📖 ことばと表現

- **回路**：circuit ／电路／ cảm ứng
- **口ごもる**：言葉が口の中にこもってはっきりしない。はっきり言わない。
- **センサー**：sensor ／传感器／ Luân phiên, xen kẽ
- **正座(する)**：和室での礼儀正しい座り方。ひざを曲げて、ひざから下の部分を床につけて座る。
- **肚**：おなか。　　**背筋**：背骨やそれに沿った筋肉。
- **座禅**：仏教で、心を落ち着かせて座り、精神を統一すること。
- **安らぎ**：心が落ち着いて穏やかなこと。　　**生存(する)**：死なずに生きていること。
- **防衛(する)**：他からの攻撃に対し、防ぎ守ること。
- **本能**：instinct ／本能／ Bản năng
- **とんだところで**：普通では考えられないところで。

📖 練習
⇒答えは p.122

次の文章を読んで、後の問いに対する答えとして最も適当なものを1～4から1つ選びなさい。

　義務教育と聞けば、だれもが小中学校という「場」を思い浮かべるだろう。現に学校教育法には、保護者は子どもが満6歳になったら小学校に、そのあとは中学校に通わせる義務を負うとの規定がある。いわゆる就学義務だ。
　教育を受けるためには、とにかく子どもは学校に通わなくてはならない。その観念には抜きがたいものがある。義務教育の「義務」が「学校に行く義務」のように受け止められているのではないか。

そんな常識を打ち破る構想が急浮上している。フリースクールなど学校以外の教育の場や機会を、義務教育のなかに位置づけようという機運だ。課題も少なくないが、教育の多様化へ向けた試みとして大いに注目したい。

端緒になったのは昨年の教育再生実行会議の提言だ。不登校児の受け皿として、例外的に学校扱いされることもあるフリースクールなどについての論議を促した。

これを受けて文部科学省は有識者会議を設置、本格的な検討が進んでいる。自宅学習も含めて学校以外での学びを認める場合にどんな経済的支援が可能か、学習の質をどう保障するか、成果をどう評価するかなど議論は具体的だ。

超党派の議員連盟も、関連法案を議員立法で今国会に提出する方針を決めた。小中学校に行かせなくても保護者が学習計画をつくり、教育委員会が認定すれば就学義務を果たしたとみなす規定などを盛り込むという。

こうした構想の背景には、そもそも学校にどうしても合わない子どもが少なからず存在するという認識がある。だからフリースクールなどを学校復帰までの一時的な場所としてではなく、学校とならぶ多様な教育機会のひとつとしてとらえる意見が主流だ。

いわば「学校信仰」を脱却する画期的な動きだが、今後、制度設計は難航も予想される。行政が関与しすぎればフリースクールなどは本来の魅力を失い、逆に自由放任なら児童虐待などを見逃しかねない。学習塾が学校化するとの指摘もある。議論を徹底し、具体像を探ってもらいたい。

義務教育について定めた憲法26条には、じつは「学校」の文字がない。国民は「ひとしく教育を受ける権利」を有し、保護者は子女に「普通教育を受けさせる義務」を負う——とあるだけだ。学校以外での学びの可能性は、この条文にも息づいていよう。

(日本経済新聞2015年6月29日付朝刊による)

問い この文章の主張として、最も適当なものを選びなさい。

1 義務教育について定めた憲法第26条や学校教育法の内容を、現代の状況に応じて変えるべきである。
2 義務教育すなわち学校教育という固定観念から抜け出て、教育の場や機会をもっと多様化することが求められている。
3 「学校信仰」を脱却するためには、フリースクールや塾の自主性を尊重し、行政は関与しすぎてはいけない。
4 計画的に学習し成果が認定されるならば、自宅学習でも修学義務を果たしていると認めることが必要だ。

第2章 長文B

UNIT 1 エッセイ

パターン 1 まず筆者の体験を示し、後で意見や感想を述べる

例題

次の文章を読んで、後の問いに対する答えとして最も適当なものを1～4から1つ選びなさい。

　アメリカから日本に渡りつづけていた青年時代に、短期間で借りていた四畳半や六畳の一間のアパートの、その畳の上ではいつの間にか日本語の小説と詩集があふれるようになった。夏は蚊取り線香のにおい、冬は炬燵の白熱、季節のディティールは変ったが、いつも狭い空間の中で日本語の書物に囲まれながら生活していた。それらの書物を読むと、ときには英語に翻訳することもあった。読んでは自分で「書き直し」てみる、それは①日本語の世界に入り込むための最良の修行となった。

　ある日、高田馬場だったか大久保だったか木造アパートを出ると、山手線に乗って渋谷へ行った。渋谷にある教会の地下室には、安部公房の劇団の稽古場と、こぢんまりとした事務所があった。安部公房にアメリカ公演の脚本の英訳を頼まれていた。「仔象は死んだ」という芝居の英訳原稿をもって地下室に入ると、そこには安部氏がいた。内容についてぼくは色々と質問をした。その一つは、「象が」で始まるセリフだった。英訳するためにはそれが単数か複数かを決める必要があった。elephantなのか、elephantsなのか。

　「安部先生、この象は一頭ですか、二頭ですか、それとも群れですか」と聞いた。戦後日本の最大級の小説家は、「分らない」と答えた。「われわれ日本人にはそんな区別はない、だからリービ君は自分で決めなさい」。「砂の女」の作家の前で、②ぼくはとまどった。自分でも自信がなくなった。「象」は一頭でも二頭でも同じように思えてきた。

　帰りの電車の中から見た新宿の光は、あれだけおびただしいのに、aもtheもなく、sもつかなく、ただ「光」なのだ、とまるではじめて見るような驚きを覚えながらじっと眺めたのであった。

　今年に入って、「星条旗の聞こえない部屋」というぼくの日本語のデビュー作がアメリカで出版されることになった。「異言語」の日本語で書いた作品が、二十年経って、他人の手によって母語に翻訳されることで、不思議な気持ちとなった。

　ある夜、路地の奥にある家に若いアメリカ人の翻訳家がたずねてきた。

B. 心の動きや考え方に注目するパターン　①エッセイ

「カリフォニアよりずっと、日当りが悪いでしょう」と話しながら、二階にある和室の書斎へ来客を通した。たて文字の原稿用紙にうめつくされた畳の上で座り、白人の日本文学研究者が白人のぼくに、作品について次々と質問した。最初の場面に、領事の息子が領事館から家出をするとき、日本人ガードマンの横を通る。
「その日本人ガードマンは、一人ですか、二人ですか」と相手がぼくに聞いた。
　しばらく考えてからぼくは、「分らない」と答えた。
　単数も複数も、頭の中から消えていた。
「③すみません、本当に、分らない」。若い翻訳家も、ぼくも、しばらく、黙りこんだ。「われわれ日本人」の中に、あの瞬間、「われ」も入ったのか。それとも、路地の奥の木造の家に何年も住んだから、ついに分らなくなったのか。久しぶりにとまどいを感じた。とまどいとともに、胸の中から小さな喜びも湧き上った。

（リービ英雄「路地の奥の家」日本経済新聞2010年12月5日付朝刊による）

[1] ①日本語の世界に入り込むための最良の修行とは具体的にどのような行為を指すか。

1　畳の上で蚊取り線香や炬燵など日本的なものに囲まれて生活すること
2　狭い部屋の中で日本語の書物に囲まれて生活すること
3　日本語の書物を読むだけでなく、それを英語に訳してみること
4　日本語の書物を読んでは、自分なりに日本語で書きなおしてみること

[2]　なぜ②ぼくはとまどったのか。

1　作家が自分の作品にもかかわらず、「分らない」などと答えたから
2　戦後日本の最大級の小説家に「自分で決めなさい」と「象」の英訳を一任されてしまったから
3　この作家の作品を英語に翻訳するのは無理だということがわかったから
4　作家が、英語における単数・複数の区別の重要性を理解してくれなかったから

[3]　③すみません、本当に、分らないと言ったのはだれか。

1　白人の日本文学研究者
2　日本人ガードマン
3　若い翻訳家
4　ぼく

4 この文章の内容として最も適当なものはどれか。

1 ぼくは長く日本で暮らすうちに、単数・複数を区別しない日本人と同じ感覚を持つに至った。
2 ぼくは日本語の世界に入り込む修行を続け、ついに戦後日本最大級の小説家と同じレベルに達した。
3 ぼくは日本語で小説を書くと単数・複数が分からなくてとまどうこともあるが、喜びも感じている。
4 ぼくは20年も前に書いた小説がようやく翻訳されることになって、とまどいつつ喜んでいる。

POINT

《エッセイのパターンとポイント①》

① 主題→まず主題をつかむ。
② 例示→具体例は主題との関係の中で理解する。例の対比にも注意。
③ まとめ→例からどのような結論に至っているかを読みとる。

解き方

1 「それらの書物(=日本語の書物)を読むと、ときには英語に翻訳することもあった」とある。ここで言う「書き直し」とは、日本語の書物を英語に翻訳すること。答えは3。

2 日本を代表する大作家から、作品の一部の解釈を任されたことで、とまどってしまった。答えは2。

3 1「白人の日本文学研究者」と3「若い翻訳家」は同じ人物で、ガードマンの人数をぼくに質問した人。2のガードマンはぼくの作品の登場人物。答えは4。

4 以前、安部氏の作品を英訳する際、「我々日本人は単数複数を区別しない」と言われ、その感覚に驚き、理解ができなかった。しかしその後、長く日本で暮らすうちに、日本人と同じ感覚を持つようになっていたことが、自分の作品の翻訳者に質問されたことでわかった。そのことにとまどいを感じつつも、「我々日本人」の中に自分も入ったことの証明でもあり、喜びも感じた。答えは1。

パターン 2 まず主題の提示と説明から始まり、後でその感想を述べる

例題

次の文章を読んで、後の問いに対する答えとして最も適当なものを1～4から1つ選びなさい。

　エジプトに住む日本人女性からこんな話をきいたことがある。その人がエジプト人女性の着ていたブラウスをほめたことがあるのだそうだ。いいブラウスね、と。そうしたらそのエジプト人女性はそのブラウスをくれたのだそうだ。

　これは、気に入ったのならあげるという親切心からではない。あの国では邪視をこわがるという迷信がかなり根強いからだ。

　つまり、人からうらやましがって見られると、その目には禍いをもたらす力があって、よくないことがおこると信じているのだ。これが、邪視という迷信である。

　人をうらやんで見る目には、禍いをもたらす力がある、とおそれているのだ。ブラウスをほめられたということは、うらやましがる目で見られたのであるから、そのブラウスを着ていると悪いことがおこる、と考えるのだ。だから①くれてしまう。

≪中略≫

　エジプトでは特にその迷信が強いのだが、イスラムの国々ではその考え方をするところが多い。家を建てても、外から見るとなんの飾り気もないつまらない家のように造るのは、うらやましがる目で見られないようにするためだ。あの華麗なアルハンブラ宮殿も、外から見ると飾り気のないつまらない外観である。

　しかし、この迷信はイスラムに特有のものではなくて、もっと古くから、地中海地域、中近東、南アジアに広がるものである。インド人やトルコ人なども、邪視をはねかえすいろいろなお守りをしばしば身につけている。

　邪視の迷信がなぜ信じられるのだろう、ということについて、民俗学者の間で最も広く受け入れられているのは、瞳の反射説だ。

　誰かの瞳をのぞき込んでみると、その黒い部分に自分の姿が小さく映っているのが見える。②これはとても不思議に思えることで、たとえば英語で瞳をあらわすpupilは、ラテン語のpupillaからきているのだが、それは「小さな女の子」もしくは「小さな人形」がもともとの意味である。目の中に映っている小さな自分の姿がそう見えたのだろう。そして、考えてみれば漢字でも「瞳」は目と童からなっている。

　他人の瞳の中に自分の姿が映っているのを見た昔の人は、自分がその目の中に取り込ま

れたと感じ、あやしみ、おそれたのだ。そこから、目には禍いをもたらす力がある、という考え方が生まれたのである。

　古代エジプトでは、邪視の魔力を打ち消すために、目のまわりに化粧をした。目のふちに黒いマスカラを塗ったのだが、これはツタンカーメンのマスクにも見られる。

　中世には、目つきの悪い人や、大きすぎる目の人を見るとただちに邪視の持ち主だと決めつけて火焙りにしようとしたそうだ。

　そういう迷信が今も続いていて、エジプトではよその子供をほめてはいけないのだ。③そういうことも人間の文化である。

(清水義範「邪視という迷信」日本経済新聞2009年6月29日夕刊による)

1　誰が①くれてしまうのか。

1　人をうらやましがる人
2　人をほめた人
3　人にほめられた人
4　人に禍いをもたらす力がある人

2　②これは何を指しているか。

1　邪視の迷信がエジプトだけでなく、かなり広い地域で信じられていること
2　他人の目の中に自分の姿が小さく映ること
3　英語で瞳を表す語がラテン語からきていて、「小さな女の子」「小さな人形」という意味を持つこと
4　英語の瞳の元になったラテン語と、漢字の瞳に共通の意味が存在していること

3　③そういうことが表す内容として最も適切なものはどれか。

1　科学技術が発展した現在においても、迷信を信じているということ
2　ほめるということが歓迎されないということ
3　他人の家をほめられると、その家には住めなくなるということ
4　目を見て話すと、相手をこわがらせてしまうということ

B. 心の動きや考え方に注目するパターン　①エッセイ

POINT

《エッセイのパターンとポイント②》
① 主題の提示と説明→筆者は何に疑問や面白さを感じているか、主題をつかむ。
② 筆者の感想・意見→主題について筆者が何を感じ、何を思っているかをとらえる。

解き方

1. ほめられた人（エジプト人女性）が、ほめた人（日本人女性）にブラウスをくれてしまう。答えは **3**。

2. 不思議に思えることは何か、考える。「瞳」という語の意味が不思議に思えるのではないので、3・4は×。この段落は「瞳の反射説」の説明なので、1も違う。答えは **2**。

3. 迷信を信じること自体が文化ではないので、1は×。3・4は書かれていない。ブラウスの例からわかるように、〈ほめることが相手に喜ばれるとは限らない・世界共通ではない〉というのが筆者の述べたいこと。答えは **2**。

ことばと表現

- □ 迷信：superstition ／迷信／ Mê tín
- □ 根強い：気持ちや考えが人の心に深く根づき、容易に変わらない様子。
- □ 禍い：よくない出来事、不幸をもたらす原因、不幸や不運にあうこと。
- □ 外観：外から見た様子。
- □ 民俗学：folklore study ／民俗学／ Dân tộc học
- □ 瞳：eye ／瞳孔／ Tròng đen mắt
- □ 焙る：火に当てて暖めたり乾かしたりすること。

練習

⇒答えはp.122

次の文章を読んで、後の問いに対する答えとして最も適当なものを1～4から1つ選びなさい。

　夏の終わり頃、例年にない暑さのため少しボーっとしていたのかもしれない。給湯器からの熱い湯（九十八度）を左手に浴びてしまった。慌てて水で冷やし、病院へ駆けつけた。幸い手の甲の数カ所で皮が剝がれる程度の火傷だったので、二十日間ほど不自由な思いをしたが全治した。その間、傷跡が変化してゆく様を観察しているうちに、①人体の仕組みの絶妙さに感動を覚えた。

　初め二日間ほどは、熱湯に触れた部分の細胞が壊死して（ネクローシス）痛々しく赤い肌をさらしていた。やがて、火傷をした周辺部の熱湯が当たっていない部分の表皮が黒ずみ、手の甲の表皮全体に広がってきた。一週間くらい経つうちに、火傷した箇所の近くから皮が剝がれ白い肌が顔を出した。そして十日も経つと、左手の甲の表皮がすっかり入れ替わってしまった。といっても、入れ替わらずに残っている部分、入れ替わって白い肌となった部分、熱湯が当たって赤いままの部分と、まだら状である。しかし、紫外線を浴びないよう手袋をしていたら、そのうちにまだらが消えてきた。熱湯を直に浴びた部分は少しひきつれたようになったが、無事完治したようである。

　私が興味を持ったのは、熱湯に触れていない部分の表皮までもが軌を一にして剝がれたことだ。どうやら、手の甲の表皮に「②自殺せよ」との命令が下されたようなのである。これをアポトーシスというらしい。細胞内の遺伝子が内外から得たさまざまな情報を総合的に判断して、自死装置を働かせる仕組みのことである。火傷によって損傷を受けた部分だけ修復するのでなく、表皮全体を入れ替えようとしているのだ。おそらく、表皮の部分的修復ではなく全体を入れ替える方が細胞を活かすことになると遺伝子が判断したのだろう。

　アポトーシスの例として、オタマジャクシの尻尾が消えて手足ができカエルに変身するとき、イモムシがサナギになりチョウへと姿を変えていくとき、最初グローブのようであった手から指が形成されるとき、などがある。生物は細胞を多めに作って不要な部分をアポトーシスによって削っていくのだ。細胞の死があればこそ、新たな細胞の生が保証されていると言えるだろうか。

　他方、秋になれば木々は紅葉して葉を落とし、私たちの皮膚や内臓の細胞もある一定の時間が経つと死を迎えて新陳代謝するのもアポトーシスのおかげである。木々の葉の場合、日光が弱くなって光合成で栄養を蓄えるより、エネルギーを使う方が多くなると自死するよう指令が出される。皮膚や内臓の細胞は分裂する数が決まっており、その寿命がくれば死を迎えることになる。つまり、アポトーシスは死を制御することによって生を継続することを可能にしているのだ。

逆に、アポトーシスの仕組みが効かなくなったのががん細胞で、いつまでも細胞が生き続けようとするために腫瘍が増殖し、やがて本体まで殺してしまうことになる。部分の死がないことが全体の死につながっているのである（以上、田沼靖一『ヒトはどうして死ぬのか』幻冬舎新書を参考にした）。
　人間の欲望は限りなく、長寿への願望が強くなってアンチエイジングなどが流行している。それで良いのだろうか。細胞のように死を従容として受け入れることで次世代の生が全うできるのではないかと、思わぬ火傷によって死と生のつながりを思ったことであった。

（池内了「死を受け入れること」東京新聞10月8日付け夕刊による）

（注）従容：ゆったりしていて、落ち着いている様子

---

[1]　筆者が感動を覚えた①人体の仕組みの絶妙さとはどのようなものか。
1　熱湯を浴びた左手の火傷が、数ヵ所で皮が剝がれる程度で済んだこと。
2　熱湯に触れた部分が痛々しく赤かったのが、初めの2日間ほどだけだったこと。
3　熱湯が当たらなかった部分も含め、左手の甲の表皮がすっかり入れ替わったこと。
4　熱湯を直接浴びた部分は、少し影響が残ったが、すっかり治ったこと。

[2]　②自殺せよとの命令はどこから下されたのか。
1　手の甲の表皮
2　アポトーシス
3　細胞内の遺伝子
4　火傷によって損傷を受けた部分

[3]　なぜ秋になると木々の葉が落ちるのか。
1　秋の冷たい風が葉の水分を奪って枯らしてしまうから。
2　日光が弱まるせいで、樹木から葉に栄養を送れなくなるから。
3　紅葉することで葉がエネルギーを使い果たしてしまうから。
4　葉の存在が樹木にとって負担にしかならなくなるから。

[4]　筆者が火傷の経験を通して感じたことは何か。
1　人も細胞と同様に自然の仕組みに逆らわず、死を当たり前のものと受け入れることが必要ではないか。
2　限りがない人間の欲望に従い続ければ、生と死のつながりが絶たれてしまうのではないか。
3　長寿願望やアンチエイジングは、アポトーシスの仕組みが効かなくなる危険な欲望だ。
4　アポトーシスの仕組みが効く範囲内であれば、人間の欲望が次世代の生を脅かすことはないはずだ。

第2章 長文 B

UNIT 2 小説

パターン 1 登場人物の心情や性格などを考える

例題

次の文章を読んで、後の問いに対する答えとして最も適当なものを1～4から1つ選びなさい。

　　直美にとっての誤算は、母がおよそ自立などという言葉と無縁の老い方をしたことだ。きっと九十間近になっても、心だけは矍鑠(注1)として友人たちと旅行やゴルフにでかけ、バザーやチャリティーコンサート(注2)に奔走する、知り合いの母親たちのように老いていくと、直美は信じていたのだ。

　　しかし、親友のような母娘の母に、①本当の親友などいなかった。年老い、病気がちになった母は直美の娘になり、母娘が逆転した状態で、なお親友母娘を続けることを切望していた。

「お隣の斉藤さんの奥様ね、またうちの門の脇にごみを置いていったの」

「あ、そう」

「それがどうもうちの庭に入ってきているみたいなのよ」

昨年あたりから、ときおり母の言うことがおかしくなってきた。

「ほら、私はこうしてほとんど庭に出ないし、昼間はあなたもいないから。それで鋏を持っていってしまったのよ」

「あれなら奥にしまってあるでしょう」

「いえ、ありません」

母は②唇を引き結び、背筋を伸ばした。

「あれ、銘の入ったもので、あんな使いやすいのは、今はどこでも作っていないのよ。いつか斉藤さんの奥様が、私が雪柳を切っているのを見ていたの。それでほしくなって持っていってしまったのだわ」

「いい加減にして」

たまりかねてそう怒鳴ると、直美は奥の座敷に入り、花器やらくばりやらをしまってある戸棚の引き出しから、その鋏を持ってきた。

「これは何なの。ちゃんと引き出しにあるじゃない」

「ああ、盗まれたから私が買ってきたのよ。ほらこの前三越に行った帰りに。高かったわ」

B. 心の動きや考え方に注目するパターン　②小説

「もうこれは職人さんが死んじゃって、作ってないんじゃなかったっけ？」

意地悪く言うと、頬がぱっと赤くなった。

「あなたは何かというと私を陥れようとするのね。昔はそんなじゃなかったのに、いつまでも外で働いていると、心がねじけてきて、一番身近な私をいじめて、うさばらしをしたくなるんでしょう」

③直美は黙っている。説得はできない。否定すればもっと珍妙な理屈で自分は正しいと主張するだけだ。「認知症」が始まったらしいことはずいぶん前からわかっていた。その事実を受け入れてもいた。物忘れも、物取られ妄想も、母の言動は同じ年代の親を持つ友人の愚痴や、テレビなどから仕入れた情報そのままだったのだから。

いつかは無理矢理にでも専門医のところに連れていかなくては、と思っていた。だが健康診断や骨粗鬆症の通院と偽って幾度か連れて行こうとしたが、何をどうごまかしても、母は見抜く。「あなた、私の頭がおかしいとでも思っているの」と甲高い声で叫び、決して中に入ろうとはしない。仕事を調整し何とか休暇を取って母を病院の前まで連れていっては、引き返す。同じことの繰り返しになり、とうとう諦めた。

（篠田節子『長女たち』新潮社による）

（注1）矍鑠として：年を取っても丈夫で元気な様子。
（注2）奔走する：物事がうまくいくようにあちこち忙しく回る。
（注3）陥れようとする：悪意を持って相手を苦しい状況に引きこもうとする
（注4）うさばらし：何かをすることで、苦しさや辛さを忘れたり除いたりすること。
（注5）認知症：脳の働きが低下して生活に問題が生じる状態。

[1]　①本当の親友などいなかったとあるが、どういう意味か。

1　母には本当の親友と呼べるような友達はいない。
2　今までは親友のように仲のいい母娘だったが、年を取ってそうではなくなった。
3　母親は年を取って病気がちになり、親友がいなくなってしまった。
4　直美に娘ができ母になってからは、二人の親友のような関係が保てなくなった。

[2]　②唇を引き結び、背筋を伸ばしたとあるが、この時の母親の気持ちは次のどれか。

1　自分の言ったことを否定され、憤慨した気持ち
2　隣の奥さんが鋏を持っていき、悲しい気持ち
3　自分の知らない間に鋏がとられ、恐ろしい気持ち
4　昼間はいない娘に対して、私だけが知っているという、うれしい気持ち

3 ③直美は黙っているとあるが、なぜ黙っているのか。

1　母に本当のことを言われ、何も言えなくなってしまったから
2　これ以上話をしても、母は正常な判断ができないと思ったから
3　母をいじめるつもりはなかったが、言われていじめていることに気がついたから
4　これ以上、母を問い詰めるのがかわいそうだと思ったから

4 この文章から、直美はどのような人だと考えられるか。

1　母親の世話を嫌がる怠惰で暗い性格
2　いつかは母親もわかってくれると思うのんびりした明るい性格
3　ずっと母親のそばにいる優しく気の小さい性格
4　わかっていても母親を責めてしまう勝気で行動的な性格

♪ POINT

《「登場人物の心情や性格など」を問う問題のポイント》

小説・物語文の中で、一番出題の多い質問である。

〈質問の例〉
①登場人物の心情を問う→「　　　」とあるが、この時の気持ちは次のどれか。
②登場人物の心の変化を問う→「　　　」とあるが、なぜそのように感じたのか。
③登場人物の性格を問う→「　　　」とあるが、Aはどのような人だと思うか。

〈解答へのアプローチ〉
答えは、文章中に書かれていることを丁寧に追って探る。
［出来事］→［心情の変化］→［行動］という構成が繰り返されるので、出来事と行動から心情や心の変化を読み取る。

【例】
次郎に「おはよう」と声をかけられ、太郎は一瞬、目をそらし、小さく「おはよう」と言った。

⇒ 太郎の心情のヒントは下線部である。「目をそらす」「小さく～」から、「恥ずかしい」「嫌がっている」などが考えられる。

解き方

1. 「親友」とは、どういう意味か→「親友のような母娘」「母は直美の娘になり、母娘が逆転した状態」「親友母娘を続けることを切望していた」に注目。昔は仲のよい母娘で、親友を続けることを「母親」が「切望」した。しかし年を取り「母娘が逆転」したということは、母親が子どものようになったという意味であり、それが「本当の親友などいなかった」という言葉につながる。答えは**2**。

2. 質問の前の会話を見る。「ゴミの話」「庭に入ってくる話」「鋏の話」までは母親は元気に話しているが、変化があったのは直美が「(鋏なら)奥にしまってある」と言った時から。「ない」と思っていたものが「ある」と言われたら、「どこに？」と言うのが普通だが、「いえ、ありません」と即答、「唇を引き結び、背筋を伸ばした」と表情・態度の硬さを表している。答えは**1**。

3. 母親の言葉は真実ではない。よって1、3は間違い。「説得できない」のは「もっと珍妙な理屈で主張する」ことがわかっているから。答えは**2**。

4. 直美の性格についての問題。全体を通して、性格がわかる表現を探す。「たまりかねて怒鳴る」「鋏を持ってきた」「(鋏は)奥にある、いい加減にして、ちゃんと引き出しにある、職人が死んで作ってないんじゃなかった？」、また母親の「昼間はあなた(直美)もいない」をヒントに。答えは**4**。

ことばと表現

- **無縁**：関係がないこと。
- **銘**：(金属製の器具に入れられた) 製作者の名前など。
- **花器**：花を飾るための容器。
- **ねじける**：物や人の心が曲がった状態になること。
- **珍妙**：変わっていておかしいこと。
- **妄想**：delusion, wild idea ／妄想／ Ảo tưởng
- **無理矢理**：無理とわかっていて強引にやる様子。
- **骨粗鬆症**：骨の内部が空気の多い状態になり骨折しやすくなる病気。
- **見抜く**：表に現れない本当のところを見通す。
- **甲高い**：声の調子が高く鋭い。

パターン 2 情景描写・場面変化・時間や場所などを考える

例題

次の文章を読んで、後の問いに対する答えとして最も適当なものを1～4から1つ選びなさい。

　家に帰ると、ママはまだ帰っていなかった。オフにしていた携帯電話の電源を入れると、「どこにいるの？」という内容の、ママからの電話が二件とメールが一通入っていた。ママ宛てに書いておいた置き手紙を、私は丸めて屑籠に捨てた。

　ハッカキャンディの缶を、鞄からとりだしたときには悲しくなった。これを買ったときには、とてもたのしい気持ちだったのだ。

　翌朝、私はママにこんこんとお説教された。あのあとすぐママの携帯に電話をかけて、帰ったことを伝えはしたのだけれど、それでは勿論(もちろん)遅すぎたのだ。勤務中は電話にでられないはずのママが——だから私はメッセージだけ残すつもりだったし、たいして心の準備もせずにかけてしまったのだった、その電話にはいきなりでた。怒りのこもった小さい声で、あした話しましょう、と、ママは言った。学校には遅刻しても構わないから、ママが帰るまで待っているように、と。

　帰ってきたママに、私はほぼすべて正直に話した。ほぼすべてというのは、自分が腹を立てたことは除いて、という意味だ。事前に話しておかなかったことは何度も謝ったし、もう二度と、学校と自宅以外の場所で携帯電話の電源を切らないと約束した。それでも、ママの怒りはおさまらないようだった。私が「始終街をぶらぶらしてる」ことや、「よそのお婆さんの家にあがりこんだりする」ことにも言及した。

　途中から私は喋る気がしなくなった。謝る気も、何かを説明する気も。それで、ただママの顔を見ていた。ぼんやり。そして、今日はもう学校に行きたくないなと考えていた。学校には行きたくないし、家の中にもいたくない。

　「ともかくね、ママは美海に、もうその夫婦に会ってほしくないわ」

　①ママのブラウスに染みがついていることに私は気づいた。ストッキングが伝線していることにも。(注)

　「あなたは昔から、人を信じやすいところがあるのよ。とくに年上の人を」

　それはママでしょう？　と私は思う。何回泣いても、すぐにまた信じちゃうじゃないの。

　「わかったの？」

　ママに訊かれ、私は、

　「わからない」

とこたえた。

「きのうのことはごめんなさい。でもあとのことは、わからなかった」

ママは私を見て、それから天井を見た。

「いいわ、それならもう」疲れた声で言う。「わかった」

私も応じた。何がわかったの、と訊かれたら、それならもういいんだってことが、とこたえるつもりだったけど、ママは訊かなかった。かわりに、

「まっすぐ帰るのよ」と、言った。

玄関をでるときには、②そんなことをするなんて考えてもみなかった。ただ外にでたかっただけだ。学校に行く気はなかったので、「リー・メロン」か図書館に行くか、あるいはただ歩いたり、電車に乗ったりするだけでもいいつもりでいた。

晴れたおもてにでて、ひきしまった冬の空気を吸い、落葉を踏んで歩き始めた途端に、どうしても原さんの声が聞きたくなった。パパでもなく亘くんでもなく、あの原さんの声が。

かけてみたけれど通じなかった。半分は予期していたことなので、がっかりはしなかった。またあとでかけよう。そう考えるとむしろうきうきし、私は図書館に向かった。ママの夜勤明けの日はいつもそうするように、駅前のパン屋でサンドイッチを買い、電車に乗った。

(江國香織『がらくた』新潮文庫による)

(注)伝線している：切れた部分が縦に広がっている

1　この話の時間の流れとして正しいものはどれか。

1　私は家に帰り、携帯の電源を入れ、ママからの電話とメールを確認した。翌朝、ママにこんこんと説教されたので、すぐママの携帯に電話した。
2　私が家に帰ると、ママからの電話とメールが携帯に入ってきて、私はママからの置き手紙を屑籠に捨てた。翌朝、私はママに説教された。
3　私は家に帰るとすぐ、ママに電話をかけた。学校に行かずに待っていると、ママはすぐ帰ってきて、こんこんと説教された。
4　私は家に帰ってすぐママの携帯に電話した。翌朝、帰ってきたママに私はこんこんと説教された。

2 ①ママのブラウスに染みがついていることに私は気づいた。ストッキングが伝線していることにもとあるが、どのような様子を表しているか。

1 ママは染みのついたブラウスや伝染したストッキングにも気づかず、一生懸命、私のために働いているという様子

2 ママが怒って一方的に喋り、私は説明したり謝ったりする気がなくなり、ママの話を聞かずにぼんやりママを見ている様子。

3 ママは私を非難するが、よく人を信じては泣かされている。ブラウスの染みやストッキングの伝線はそういうだめな人間の様子を表している。

4 私に対して怒っているが、ママ自身はブラウスの染みもストッキングの伝線も気がついていないのが滑稽だという様子。

3 ②そんなことをするとあるが、誰がいつ何をしたことを指しているか。

1 ママが、話の最後に「まっすぐ帰るのよ」と言ったこと。
2 私が、玄関を出た後、学校に行かずに図書館に行ったこと。
3 ママが、翌朝の話し合いの時に「いいわ、それならもう」と言ったこと。
4 私が、歩き始めて、原さんに電話をかけたくなってかけたこと。

♪ POINT

《「情景描写・場面変化・時間・場所など」を問う問題のポイント》

「いつ・どこで・だれが・どうした」を常に把握しておく。

〈質問の例〉
・情景描写を問う問題　「　　　」とあるが、どんな様子を述べたものか。
・場面変化を問う問題　「　　　」とあるが、いつからこのようになったのか。
・時間や場所を問う問題　「　　　」とあるが、誰がどこで行ったことか。

〈解答へのアプローチ〉

いつ　話は[現代]→[未来]と流れるだけでなく、過去を回想したり、未来を想像したりすることに注意する。

　　　例「過去」　〜を思い出した・〜を覚えていた
　　　　「未来」　〜と思い描いた・〜と夢見ていた

どこで　場面を読み取るためには、場所の景色や情景を頭に描いてみる必要がある。さらに、場面の変化にも注意が必要である。また、「〜のようだ・〜を思わせる」などのような例えにも注目すると場面変化を捉えることができる。

B. 心の動きや考え方に注目するパターン ② 小説

だれが その話は誰が発話しているのか。長い文の中で主語と述語の組み合わせに注意する。また、多くの人物が登場したり消えたりという人物の増減にも注意。さらに、同一人物でも同じ名前で呼ばれているとは限らないため、同一人物の確定にも気を配る必要がある。

解き方

1. 1時間の流れを、自分なりに箇条書きにしてみるとわかりやすい。キーワードは6行目の「あのあと」。これは、家に帰ってママからの電話とメールが来ていることを知った後すぐである。したがって、私は帰ってすぐママに電話をしたことになる。しかしママが帰ってきたのは翌朝であり、二人の話し合いは私が帰宅した翌日のことである。答えは**4**。

2. 「ママの怒りはおさまらないようだった。私が…ことにも言及した」とあるように、ママの怒りはどんどん広がっていき、反対に私は「途中から私は喋る気がしなくなった。…学校には行きたくないし、家の中にもいたくない』と、ついには何もしたくないという気になっていったのである。このような気持ちの中で、ぼんやりママの服を見ていて偶然、染みと伝線を見つけたのである。答えは**2**。

3. 場面の変化を考える。ママにひどく怒られた直後で、玄関を出た時点では「考えてなかった」のである。「歩き始めた途端に原さんの声が聞きたくなった」とある。答えは**4**。

ことばと表現

- **電源**：power source ／电源／ Nguồn điện
- **説教(する)**：行動や態度についてどうすべきか、厳しく言って教えること。
- **あがりこむ**：誰かを訪ねて家の中まで入る。

練習1

⇒答えは p.123

次の文章を読んで、後の問いに対する答えとして最も適当なものを1～4から1つ選びなさい。

　朝から、おかしいな、と思っていた。
　いつもなら、席に着くと、マリアちゃんがまっさきに私の席に飛んできて、昨日の夜はどんな風に過ごしたか、とか、クラスの男子の服装のことなんかを話してくるのに、その日は、全然来なかった。森さんたちと、窓際で固まって何か話している。チャイムが鳴ると、席についたけれど、その間、女の子たちのなんとなく不穏な空気は、ぴんぴんに張り詰めたままだった。（注1）
　①あーあ、と思った。
　やっぱり、私がズル休みした「会合」で、何がしかのことが決まったのだろう。（注2）
　ちらりと森さんを見ると、元々そういう顔なのか、少し怒ったように、先生が話すのを見ている。
　1時間目が終わって、私はトイレに行った。いつもなら、私がトイレに行く素振りを見せたら、マリアちゃんもついてくる。今日は、②マリアちゃんについてきてほしいのか、ほしくないのか、分からなかった。そして結局、マリアちゃんは森さん達と一緒に、私についてきた。（注3）
　「キクりん、ちょっといい？」
　マリアちゃんは、どこか興奮しているみたいだった。森さんや明智さん、ヨッシーとさやかちゃんは、マリアちゃんの少し後ろで、じっと私を見ている。個人的には、あんまり話すことのない子達だった。

（西加奈子『漁港の肉子ちゃん』幻冬舎文庫による）

（注1）不穏な：穏やかでないこと。状況が不安定で、危険が感じられる様子。
（注2）何がしかのこと：何らかのこと、何か。
（注3）素振り：表情や態度、動作に現れた様子。

B. 心の動きや考え方に注目するパターン　②小説

1　①あーあ、と思ったとあるが、このときの気持ちは次のどれか。

1　いつもは私の席に来るマリアちゃんが来なくて不思議だ。
2　マリアちゃんが森さんたちと窓際で固まって話していて感じが悪い。
3　クラスの女の子の間に不穏な空気が張り詰めていて怖い。
4　心配していたとおり、私がズル休みをした会合で何かが決まったようだ。

2　②マリアちゃんについてきてほしいのか、ほしくないのか、分からなかったとあるが、なぜか。

1　教室に不穏な空気が張り詰めていて、マリアちゃんもいつもと感じが違うので
2　今日のマリアちゃんはトイレに行きたそうではないので
3　いつもはマリアちゃん一人なのに、今日は森さんたちと一緒についてきたので
4　個人的にあまり話したことのない子が、マリアちゃんの後ろにいたので

練習2

⇒答えは p.123

次の文章を読んで、後の問いに対する答えとして最も適当なものを1～4から1つ選びなさい。

　また一人、沙由利の目の前から消えて行った。
　といっても、別に「神隠し」にあったというわけじゃない。ただ、沙由利がその子を追い抜いてしまった、というだけのことだ。
　アスファルトの道路は、まるで生きもののように、沙由利の足を一歩ごとにしっかりと捕まえ、前へ前へと進ませてくれていた。走っている、という自覚はほとんどない。足が勝手に交互に前へ出ているだけ。
　①何だか馬鹿らしいような気分だった。
いつもいつも、コーチから怒鳴られ、「人間力学」の講義を聞かされ、座禅までやらされ、「集中力」をきたえて来た。
　それでも、思うようなタイムが出たためしはない。それが――。
　「いいぞ。その調子だ！　ベストタイムだぞ！」
　コーチが、伴走する車から怒鳴っている。沙由利よりもコーチの方がよっぽど興奮しているのである。
　沙由利は、わざとコーチの方は見ずに、沿道の風景だの、青空だのを見るようにした。
苦しくないわけじゃない。たぶん、いつもぐらいに辛いのだろうが、今の沙由利は、それを②ちっとも「辛い」とは感じなくなっているのである。

「あと一キロだ！　頑張れ！」
　一キロ？　もう、そんなに走って来たの、私？
　汗がにじんでいる。胸が痛い。
　でも——でも、こんな苦しみが何だろう？　あの人の味わった苦しみに比べたら……。
あの人は、埋まっているのだ、今も。あの湖底の泥の底に。——何てことだろう！
他の誰が死んだっていい。でも、どうしてあの人が？　そんなことって、ひどすぎるんじゃ
ないの？
　沙由利は、何度、神様を責めたことだろう。別に、神様がいると信じてたわけじゃないが、
もし本当に目の前に神様が立っていたら、ためらわず、ぶん殴っていたに違いない……。
　安田沙由利は、唐木純一と、客観的に見て「恋人同士」ってわけじゃなかった。いや、沙
由利の方は唐木純一に、何年も前から熱を上げていたのに、肝心の彼の方は、走ることだけ
に熱中していて、いい友だちではいてくれたものの、そこから先へは一歩も進んでいなかっ
たのである。
　沙由利も27歳になっていた。ランナーとして、若い世代の内には入らない。そうパッと目
立つほどの成績もあげていないし、いつまでこんなことをやってられるか——自分でも、先
が分らなかった。母も、
「いい加減、お嫁に行ってよ」
と、顔を見る度に言っている。
　それでも沙由利が走るのをやめなかったのは、走ることが、唐木純一との唯一のつながり
だったからで……。でも、彼は死んでしまった。
　それでもどうして自分は走っているんだろう？　走る喜びなんて、もうどこにもないとい
うのに……。
「右だ！　右だぞ！」
　コーチの声で、フッと我に返る。
　あ、もうすぐゴールか。最後は、競技場のグラウンドに入り、一周してゴール。
「行け！　トップだぞ！　頑張れ！」
　——うそでしょ。
トップ？　私がトップ？
　沙由利はチラッと後ろへ目をやった。いつの間に抜いたのか、さっきまで前にいた二人が、
苦しそうに顔を歪(ゆが)めて、どんどん遅れていく。
　へえ。——私がトップか。
　沙由利はちっとも力むこともなく、競技場の中へと入って行った。
一周四百メートル。これでおしまいだ。

別に国際的な大会じゃないから、何万人の大観衆ってわけにはいかないが、それでもスタンドから声援や拍手が起きる。妙な気分だった。
　でも、彼はいない。あの人は、見てくれてはいないのだ。
　早く終わらせよう。そして一人になって、また泣こう。
　一か月たっても、悲しみは少しもいえていなかったのである。

（赤川次郎『午前０時の忘れもの』集英社文庫による）

(注) 神隠し：子どもなどが突然いなくなること

[1] 何が沙由利を①何だか馬鹿らしいような気分にさせたのか。

1 いつもいつも、コーチから怒鳴られ、「人間力学」の講義を聞かされ、座禅までやらされていること。
2 いつもいつも頑張っているのに、思うようなタイムが出たためしがないこと。
3 沙由利よりもコーチのほうが興奮していること。
4 何のために自分は走っているのか、走る喜びがどこにも感じられないこと。

[2] ②ちっとも「辛い」とは感じなくなっているのは、どうしてか。

1 走ることに集中せず、唐木純一の死んだこと、それでもどうして自分は走っているのかを考えているから。
2 わざとコーチのほうは見ずに、沿道の風景だの、青空だのを見るようにして、気持ちを逸らせたから。
3 今も湖底の泥の底にいる唐木純一の苦しみに比べたら、自分の苦しみは大したことがないと思うから。
4 頑張って走っているのに、足が勝手に動いているという感覚で、走っている自覚がないから。

第2章 長文 B

UNIT 3 紀行文

紀行文とは、筆者が旅をしながら感じたことや思ったことを、旅の様子とともに伝えるものです。主題が何であるかを確認し、旅の流れとともに筆者の心情をとらえながら読むことが大切です。

パターン 1 ①主題提示→②時間の流れに沿って状況説明→③筆者の感想

POINT

紀行文の問題で多いのは、まず主題が示され、その説明が続き、それから筆者の考えなどが述べられるパターンです。上の②と③は時間の流れに沿って繰り返されていきます。

例題

次の文章を読んで、後の問いに対して最も適当な答えを、1〜4から1つ選びなさい。

　人はなぜ滝にひかれるのだろうか。それもとりわけ大きな滝に。

　アルゼンチンとパラグアイとブラジルの国境地帯にあるイグアスの滝は世界でいちばん巨大な滝だ。世界中から見物人がやってくる。それらの人々にまじってトロッコ列車でむかった。

　巨大な滝に近づいていくにつれて気持ちがずんずん高まっていく。その音はかなり遠くから大地と天空をゆるがすように轟く。同時に圧倒的な水の匂いがおしよせてくる。

　人間が滝にひかれるのは、地球規模的なエネルギーの暴れるところ——というのをいちばんわかりやすく体感できるからだろう。

　イグアスの滝は高さ八十メートル。湾曲した幅は約四キロにもひろがり、そこに大小三百のそれぞれ巨大な滝がある。なかでももっともスケールの大きな瀑布（注1）には「悪魔の喉笛」という名がつけられている。

　毎秒六万五千トンの水が落下するというこの滝の圧倒的かつ絶望的な咆哮（注2）と崩落のありさまは、なにもかも呑み込んでしまうという悪魔の喉にたとえるのがふさわしいのだろう。その呼び名は見れば納得する。

正面まで手すりつきの回廊をめぐっていくことができる。高所恐怖症の人や気の弱い人は、手すり(注3)のところまでいくのにかなりの勇気がいるだろう。

見物台は「悪魔の喉笛」をもっとよく覗き込めるように空中にまでせり出しているからだ。いかにも①<u>ラテンっぽいおおらかさ</u>だ。なにごとも過保護の日本だったら、もっと用心して回廊を滝からもうすこし遠ざけたところに置くか、透明なパイプのような回廊にしてしまうような気がする。そうでないと手すりから体を乗り出せば、でっかく沸き立つような飛沫(注4)で煙る滝壺に簡単に飛び込んでしまえる位置にあるからだ。もっとも滝壺には濃厚な霧のようになったしぶきが常に滝壺の半分ぐらいまでもりあがってきていて、その全貌はよく見えない。

咆哮する悪魔の喉笛を見ていると、意味もわからぬままそこに飛び込んでいってしまいたい誘惑にかられる。でかくて攻撃的で凶暴な滝のもつ魅力が怖さと甘美な誘惑と隣り合わせになっていてゾクゾクする。

パラグアイ人らしきグループがなにごとかさわいで水爆を指さしている。それは数羽の鳥の群れだった。話に聞いていたツバメだな、とすぐわかる。オオムジアマツバメといって、イグアスの滝の裏側に巣を作っている。滝の後ろだと天敵の攻撃がない安全地帯だからである。

アマツバメはこのすさまじい圧力でなだれ落ちてくる水爆の壁に突進していって突き抜け、後ろの岩壁の巣にかよう。頭のなかで想像しても現実的な風景を思い浮かべるのは難しいのだが、見ているといとも簡単に小さなツバメたちが滝の水の壁を突き抜けていく。②<u>空想を現実が凌駕する</u>(注5)、という不思議な光景なのだった。

（椎名誠『世界どこでもずんがずんが旅』角川書店による）

（注1）瀑布：高い所から白い布のようになって真下に落ちる水。
（注2）咆哮：動物がほえること。
（注3）回廊：長くて折れ曲がった廊下。
（注4）飛沫：水などが細かく飛び散ること。
（注5）凌駕：他のものを越えてそれ以上になること。

[1] ①ラテンっぽいおおらかさがあるゆえにできることはどれか。

1　トロッコ列車で世界中から見物客がやってくること
2　滝の見物台を空中にまでせり出して作ること
3　手すりつきの回廊を滝から少し遠いところに置くこと
4　回廊を透明なパイプ状にすること

[2] 筆者自身が巨大な滝にひかれる一番の理由は次のうちどれか。

1　地球規模的なエネルギーの暴れるところをわかりやすく体感できるから
2　なにもかも呑み込んでしまうような恐ろしさが悪魔の喉笛という名前にふさわしいから
3　滝壺では水しぶきが濃厚な霧のようになり、滝の全貌はよく見えないから
4　大きくて攻撃的で凶暴な滝の魅力が、怖さと甘美な誘惑と隣り合わせになっているから

[3] ②空想を現実が凌駕するとは、この場合、何を指しているか。

1　巨大な滝の音が大地と天空をゆるがすようにとどろくこと
2　毎秒6万5千トンの水が落下し、水の匂いが押し寄せること
3　ツバメがなだれ落ちてくる滝を突き抜け、裏側の巣に通うこと
4　わけのわからないまま滝の中に飛び込んでしまいたい誘惑にかられること

[4] 文の内容に合っているものはどれか。

1　イグアスの滝の中で最も大きいものが「悪魔の喉笛」である
2　筆者は巨大な滝が怖くて気分が沈んでいた
3　日本にある滝の見物台もイグアスの滝の見物台に似ている
4　ツバメの巣は天敵が攻撃できない滝壺の中にある

B. 心の動きや考え方に注目するパターン ③紀行文

解き方

1. 「ラテンっぽいおおらかさ」は「何事も過保護の日本」と対照的に述べられているので、日本の滝の周辺の説明である3と4は×。「おおらかさ」と「見物人が集まってくること」には具体的な関連がない。答えは**2**。

2. **2**は「悪魔の喉笛」の名前の由来だから×。**3**も具体的な光景の説明にすぎないから×。**1**は人間が滝にひかれる理由だが、これは一般論で、「筆者自身が巨大な滝にひかれる一番大きな理由」にはならない。答えは**4**。

3. ここでの「空想」は著者の空想、「現実」はアマツバメの行動。答えは**3**。

3. 「滝のもつ魅力が…ゾクゾクする」とあるので、**2**は×。ツバメの巣は滝壺の中ではなく滝の裏側にあるので、**4**も×。答えは**1**。

ことばと表現

- **ずんずん**：どんどん。勢いよく進んでいく様子。
- **轟く**：大きな音が鳴り響く。
- **体感(する)**：体で感じること。
- **喉笛**：のどの息が通る部分。
- **崩落(する)**：崩れ落ちること。
- **ありさま**：物事の状態、様子。
- **せり出す**：前の方に出る。突き出てくる。
- **おおらかさ**：composed, serenely／大方／Thư thái, phóng khoáng
- **沸き立つ**：勢いよく沸くような様子。
- **滝壺**：lake under a waterfall／瀑布深淵／Hồ nước (do thác đổ xuống mà thành)
- **全貌**：全体の姿。
- **凶暴(な)**：brutal, ferocious／凶暴／Hung bạo
- **甘美(な)**：美しいものや気持ちよいものに心を奪われる様子。
- **ゾクゾク(する)**：震えるほど感情や興奮が高まる様子。
- **天敵**：自分の生命を最も脅かす者。　例 ネズミの天敵⇒ネコ
- **なだれ落ちる**：大量の雪が一気に崩れ落ちるように落ちる。

パターン 2 ①状況説明→②主題の提示→③説明→筆者の意見

> **POINT**
> 多くの紀行文の問題と違って、状況説明の後に主題が提示されるパターンです。さまざまな情報を主題を中心に整理し、要点をつかむことが大切です。

例題

次の文章を読んで、後の問いに対して最も適当な答えを1〜4から1つ選びなさい。

　目を覚ますと、列車は広島に停車していた。5時28分発車。定刻より五分遅れている。外は薄曇り。車窓左前方から少しずつ山影が近付き、5時50分頃、幅狭の海の向こうに宮島が最接近する。海というより巨大な川のような海峡がしばらく続き、安芸の宮島を眺めながら走る。6時23分に朝一番の放送が入り、「現在、十分ほど遅れています」と注意を促す。

　6時54分、下松着。開放式B寝台車にはここから立席特急券で乗車できるため、最後尾の車両から寝台を座席仕様にセットするために業者が乗り込んでくる。

　寝台車を座席として使用することを「ヒルネ」という。寝台料金無しで寝台車に乗れるこの制度が創設されたのは昭和四十年というから、明治以来続く寝台列車の歴史からすれば比較的新しい。それまで国鉄の夜行特急は寝台車の他に座席車が連結されていたのだが、それが寝台専用編成に変わり、寝台を使わない短距離利用客には不便になったため、このヒルネ制度を設けたのである。寝台利用時間にかからない夜行列車の末端区間はどうしても客が少なくなるため、空席を有効活用して増収に繋げようとする意図もあった。ブルートレイン全盛期には全国でこのヒルネ列車が走っていたが、平成二十年六月現在では、この「富士」と「はやぶさ」を別々に数えても、全国で六列車しかない。

　この「富士・はやぶさ」のヒルネ利用には、「立席特急券」という特殊な特急券が必要となる。読み方は「りっせきとっきゅうけん」であって、「たちせきとっきゅうけん」ではない。料金は自由席特急券と同額だが、通常の自由席と異なり発売枚数が限定されている。特急の自由席なら乗り放題になる周遊タイプの割引切符を持っていても、立席特急券を買わなければならない。JRの指定席券や寝台券の事前発売は一ヵ月前から全国一斉に始まるが、立席特急券には平成五〜六年頃まで、「列車出発日の二日前」から「乗車駅でのみ」発売するという制約が設けられていた。要するに立席特急券制度は、遠来の旅行者よりもまず地元客の利便を優先するという考え方に立脚している。

> ただし、最優先されるべきはあくまでも寝台利用客であるから、立席特急券では「着席できない」ことになっている。券面にもその旨明記されている。正に「立席」なのだが、実際には空いている寝台に座っても何の問題もないし、ほかに客がいなければ横になって寝ていたって注意されることはない。どんなに座席のリクライニング機能が進化しても、堂々と横になって休む場合とは休息感の深さにおいて比較にならないのであって、真っ昼間に横になって寝られる点こそヒルネ列車の最大の特長であると私は考えている。
>
> （小牟田哲彦『去りゆく星空の夜行列車』扶桑社による）

1　列車は広島に停車していた。5時28分発車とあるが、筆者はどこにいるか。

1　ホームのベンチ
2　待合室の中
3　列車の中
4　改札口の近く

2　「ヒルネ」についての説明で正しいものはどれか。

1　寝台車に座席車が連結されていたころから行われていた
2　特急の自由席が乗り放題になる周遊券を持っていれば、無料で寝台車に乗れる
3　昭和40年に制度が始まり、平成20年には全国どこでもヒルネ列車が走っている
4　夜行列車は、寝台利用時間以外は客が少ないので、空席を有効利用するために始まった

3　筆者の考えと合っているものはどれか。

1　「ヒルネ」を使うと昼間に横になって寝られるので、ゆっくり休息できていい
2　立席特急券はとても買いにくいので、なんとかしてほしい
3　座席のリクライニング機能が進化しているので、寝台車はもういらない
4　立席特急券は遠くからの旅行客の利便性のために作られたものだ

> **解き方**

「寝台車を座席として使用することを『ヒルネ』という」──この一文が主題提示。

1. 筆者の状況を問う問題。続く文を読んでいくと「車窓左前方から少しずつ山影が近付き」とあるので、筆者が列車に乗って外を見ていることがわかる。答えは3。

2. 〔寝台車＋座席車〕→〔寝台専用編成（寝台車のみ）〕→寝台を使わない客には不便→〔寝台を座席として使用〕（「ヒルネ」制度）という流れなので、1は×。「周遊タイプの割引切符を持っていても…」とあるので、2も×。「平成20年6月現在では…全国で6列車しかない」とあるので、3も×。答えは4。

3. 「立席特急券はまず地元客の利便を優先する…」とあるので、4は×。また立席特急券について筆者は説明するだけで、意見は言っていないので、2も×。「どんなに座席のリクライニング機能が進化しても…」と否定的なので、3は×。答えは1。

📖 **ことばと表現**

- □ 海峡：channel／海峡／Eo biển
- □ 寝台車：sleeper car／卧铺车／Khoang tàu có giường nằm, xe có giường
- □ 最後尾：行列の一番最後。
- □ 創設(する)：施設や機関を新しくつくること。
- □ 連結(する)：つなぎ合わせること。
- □ 編成(する)：いくつかのものを集めて一つの組織的なまとまりにすること。
- □ 末端：端の部分。
- □ 周遊(する)：各地を旅行して回ること。
- □ 遠来：遠いところから来ること。
- □ 利便：便利であること。
- □ ～に立脚する：自分の立場を～に定める。

練習

次の文章を読んで、後の問いに答えなさい。

　国境というものが私は好きだ。観光名所には出向かないくせに、条件が許せば国境はかならずいく。何をするでもない、国境にほど近い茶店に座って、ひがな一日茶をすすり、往来を行き来する人々を眺めている。

　陸でも海でも川でも線路沿いでも、こちら側とあちら側にイミグレーションがある。立派なコンクリートのビルもあれば、船のチケット売り場よりちいさい掘っ建て小屋のこともある。何人も職員がいることもあり、たったひとりが、退屈そうに空を見ていることもある。

　大きいものであれちいさいものであれ、イミグレーションという場所は、その国と、その国に住む人々の個性を、ものすごく簡潔に明確にあらわしていると思う。居丈高なくせになかみがなかったり、ちいさいことにはこだわらないおおざっぱ主義だったり。これは、その日そこに居合わせた職員の性格では断じてない。国という単位の性格である。

　たとえばラオス－タイ国境。数年前、未だ盗賊のひしめくと言われるラオスの川をスピードボートでくだり、その緊張をゆるめられないままタイ国境へたどり着いた。麻薬製造所といってなんの差し支えもない地域だ。体にぴったりフィットした制服を着て、その腰に小型銃とこん棒をさした職員は、受け取った私のパスポートを念入りに見ている。ずいぶん長いあいだぱらぱらめくっている。沈黙。

　なんだかどきどきしてきた。私のパスポートは、タイの出入国スタンプが異様に多い。空路からばかりではなく、近国から陸、海、川の国境をもちいて出入りしている。成田の手荷物検査ではじつによくひっかかる。「どうしてこんなにタイを経由するのか」と訊かれ、タイが好きなんです、と答えるが、その答えはひょっとしたらずいぶん胡散臭いのかもしれない、毎回けっして納得はしてもらえず、下着から化粧品から全部調べられ、胸ポケットに入れていた煙草まで、ふたつに割って葉を検分される。

　日の傾きはじめた国境、掘っ建て小屋の外側で、じりじりと私は汗をかいた。沈黙。虫の羽音がすぐ近くで聞こえる。小屋の内側、丹念にパスポートをめくっていた中年男は、顔をあげないまま、にこりともせず口を開く。ドラえもん、知ってる？

　彼の英語は聞きとれたものの、意味不明すぎて、は、はあ？　と、かすれた声で訊きかえした。職員はようやく顔をあげ、私にパスポートを突き返しながら、「ドラえもん、知らないの？」真顔で訊いてくる。「もち、もちろん知っております」私は答えた。する

と彼は目を細め、「いいよねえ、ドラえもん」ため息まじりに言うのである。「二歳になるうちの娘がファンでさあ……」

　タイに点在するイミグレーションの印象はそのまま、タイという国を旅しているとき、いたるところでひしひしと感じるそれとまったく同じである。他や異を排さないふところの深さ、いい意味でのどうでもよさ、おおらかさ。それに惹きつけられ、出入国スタンプは増え続け、さらに手荷物検査での質問は厳しくなり、下着から化粧水から生理用品からますます人目にさらさなければならなくなる。成田のイミグレーションもまた、この国の個性を本当によくあらわしている、というわけだ。

（角田光代『いつも旅のなか』角川文庫による）

（注）ひがな一日：一日じゅう

B. 心の動きや考え方に注目するパターン　③紀行文

1　筆者はイミグレーションという場所についてどう考えているか。

1　どこのイミグレーションでも、何人もの職員がいる
2　たいていのイミグレーションは、建物が立派だ
3　どのイミグレーションも、その国の個性を簡潔に表している
4　その日たまたま応対した職員の個性によって、その国の印象が変わる

2　筆者が成田空港の手荷物検査でよくひっかかる理由として考えられるのはどれか。

1　筆者が国境の町へ行くのが好きだから
2　職員の日本語がよく聞き取れないから
3　アジアの国の出入国スタンプが非常に多いから
4　麻薬を密輸しているのではないかと疑われるから

3　筆者がラオス―タイ国境のイミグレーションで時間がかかったのはなぜか。

1　職員が自分の好きな漫画のキャラクターを生んだ日本に興味があったから
2　職員が筆者のパスポートが本物かどうか、疑っていたから
3　その地域の治安が悪い時に訪れ、通常より警戒が厳しかったから
4　緊張のため、筆者が職員の話す英語をよく聞き取れなかったから

4　この国の個性とはどんなものか。

1　おおらかで細かいことは気にしない
2　細かいところまできちんと仕事をする
3　居丈高なくせに中身がない
4　ふところが深く何でも受け入れる

第2章 長文
練習問題の答え

A. 事実関係・論理関係に注目するパターン

UNIT 1 解説

練習

1 正解：4
平らで四角いものを端から巻いたものなので、細長い円筒形になる。

2 正解：2
「ふんわりふっくら、いい焼き色に焼き上げるのには多少の技術を要する」のはスポンジのこと。すぐ後ろに「それにひきかえ」とある。この場合の「それ」はショートケーキのスポンジのこと。3と4は焼くときの注意ではなく、デコレーションのことなので×。

3 正解：3
「値段に割安感があったのと、その値段にしてはふわふわのスポンジがおいしかった」とあるので、安くておいしかったから人気があった。

ことばと表現
- 値段が手ごろ：高くなく、買いやすいこと。
- そこそこ：悪くなく、一定の水準にあること。

4 正解：4
1、2は愛される理由ではなく、愛された結果の状態。3はロールケーキが売れているという文脈の中では合わない。

UNIT 2 論説

練習

問い 正解：2
憲法の条文という原点に立ち戻って、固定化された「義務教育」の考え方を見直そうという主張。フリースクール、塾、自宅学習はその例。

ことばと表現
- 就学：学校に入ること、特に小学校。
- 観念：notion／观念／Quan niệm
- 端緒：物事が始まるきっかけとなるもの。
- 虐待：abuse／虐待／Ngược đãi
- 条文：text／条文／Bản liệt kê điều kiện

B. 心の動きや考え方に注目するパターン

UNIT 1 エッセイ

練習

1 正解：3
筆者は傷跡の変化を観察し、特に興味を持ったこととして「熱湯に触れていない部分の表皮までもが機を一にして剥がれたことだ」と述べている。

2 正解：3
第3段落の3行目から「細胞内の遺伝子が…自死装置を働かせる」とある。つまり、遺伝子が手の甲の表皮に「自殺せよ」と命令するということ。

3 正解：4
第5段落3行目からの「日光が弱くなって…指令が出される」に注目。日光が強い夏の間は、葉は光合成で蓄えた栄養を樹木に送り込めるが、秋になると栄養を蓄えるよりも消費するほうが増え、樹木にとって葉の存在が負担になる。それで自死＝落葉する。

4 正解：1

筆者は長寿願望やアンチエイジングに批判的で、「細胞のように死を従容として受け入れることで次世代の生が全うできるのではないか」と述べている。つまり、死に対して不自然な抵抗はせず、静かに受け入れることが次の世代のために必要ということ。

📖 ことばと表現

- □ 駆けつける：大急ぎで目的地に行く、着く。
- □ 手の甲：back of the hand ／手背／ Mu bàn tay
- □ 剥ぐ：peel off ／剥／ Bong ra
- □ 絶妙：技術ややり方が非常にすぐれていること。
- □ 壊死：体の組織の一部が生命の機能を失うこと。
- □ まだら：複数の色や色の濃い・薄いが
- □ 紫外線：ultraviolet rays ／紫外线／ tia tử ngoại, tia cực tím
- □ 直に：間に何もなく、直接。
- □ ひきつる：皮膚が引っ張られたようになる。表情や筋肉が柔らかさを失い、かたくなる。
- □ 腫瘍：tumor ／肿瘤／ U bướu
- □ 増殖(する)：increase, multiply ／增生／ Gia tăng
- □ 全うする：物事を完全に終わらせる。

UNIT 2 小説

📘 練習 1

1 正解：4

「あーあ」という気持ちは、次の「やっぱり」以下に続いている。

2 正解：1

いつもはどうなのか。「ついてきてほしい」のである。しかし、いつもと様子が違うので、混乱している。

📖 ことばと表現

- □ 窓際：窓のそば。
- □ ズル休み：うその理由で休むこと。
- □ ちらりと：一瞬だけ見る様子。

📘 練習 2

問題の近くに答えがなく、全体の内容をつかんでから答える問題である。

1 正解：4

自分を沙由利の立場に置き換えて考えるといい。紛らわしいのは2だが、沙由利の心情はそんなに単純ではないことが、読み進めると見えてくる。

2 正解：1

実際は「汗がにじんでいる。胸が痛い。」のである。にもかかわらず、それを感じないのはなぜか、と考える。つまり、気持ちがここにないからである。

📖 ことばと表現

- □ 自覚(する)：自分自身について、はっきり知ること。
- □ 交互：mutual ／交替、交换／ mạch (điện)
- □ 座禅(する)：仏教で、正しい姿勢で座って精神統一をすること
- □ 伴走(する)：マラソンなどで、選手のそばについて走ること。

UNIT 3 紀行文

📘 練習 1

1 正解：3

3段落目の「イミグレーションという場所は、その国と、その国に住む人々の個性を…」から。

2 正解：4

4段落目の「麻薬製造所といってなんの差し支えもない地域だ」と5段落目の「胸ポケットに入れていた煙草まで…検分される」を職員の態度と一致するものととらえる。

3 正解：1

7段落目に〈すると彼は目を細め、「いいよねえ、ドラえもん」ため息まじりに言うのである〉とあり、ドラえもんが理由であったことがわかる。

4 正解：2

「この国」とは日本のことであり、直前に「さらに手荷物検査での質問は厳しくなり、下着から化粧水から生理用品から…」とある。

📖 ことばと表現

- □ 往来：道路、通り。行ったり来たりすること。
- □ 掘っ建て小屋：簡単につくった粗末な家。
- □ 居丈高：威張って上から見下ろすような態度。
- □ 居合わせる：ちょうどその場にいる。
- □ 断じて〜ない：決して〜ない。
- □ 盗賊：thief ／盗贼／ Trộm, tên ăn trộm
- □ ひしめく：多くの人や物が一カ所にすき間なく集まる。
- □ 差し支えない：かまわない。

- □ **こん棒**：ある程度の太さと長さのある木の棒。
- □ **念入り**：細かいところまでよく気をつけてする様子。
- □ **ひっかかる**：ここでは、検査をすぐに通れず止められること。
- □ **訊く**：尋ねる。
- □ **胡散臭い**：何となく怪しい。
- □ **検分**(する)：実際に見て調べること。
- □ **じりじりと**：いらいらして落ち着かなくなる様子。
- □ **丹念**：細かいところまで注意は払うこと。
- □ **点在**(する)：あちこちに散らばって存在すること。
- □ **ひしひし（と）**：強く心や体に感じる様子。
- □ **ふところの深さ**：心が広く、包容力がある様子。
- □ **惹きつける**：（それの持つ魅力で）人の心を引き寄せる。
- □ **人目にさらす**：世間の人にはっきり見えるようにする。

PART 2 対策編

第1章 対策準備

- **UNIT 1** 問題文の基本的な読み方
- **UNIT 2** チェックの仕方
- **UNIT 3** 指示詞（コソア表現）の整理
- **UNIT 4** 文末表現の整理
- **UNIT 5** 接続詞の整理

第1章
対策準備

UNIT 1 問題文の基本的な読み方　順番や強弱、ヒントの利用など

1 読解で高得点を取るには

① 速く読もう

　日本語能力試験N1では、110分という限られた時間の中で、文字・語彙25問、文法20問、読解26問を解かなければならず、時間の余裕はほとんどありません。時間が足りず、読解の最後の問題まで進めなかったという声もよく聞かれます。読解で高得点を取るためには、**まず読むスピードを速くする**ことがとても大切です。
　文章を速く読めるようになるには、日頃の練習が大切です。試験本番の時だけでなく、問題集で練習している段階から、時間を意識し、少しでも速く読むよう心がけてください。短文なら3分以内、中文で5分、長文や統合理解、情報検索はそれぞれ10分程度で解答できるようにしたいものです。

② わからない言葉で止まらないようにしよう

　わからない言葉や漢字が出てきたときは、その度に意味を考えて止まったりせず、まず最後まで読んでしまいましょう。読み終わったときに、大体何について書いてあったかが把握できていることが大切です。したがって、練習問題を解きながら辞書を使うことは避けてください。わからない言葉などは、問題を解き終えてから調べましょう。もちろん、わからない言葉は少なければ少ないほどいいですから、文字・語彙の学習も並行してしっかり行ってください。

　＊把握（する）：understanding ／把握／ Nắm bắt
　＊並行（する）：side-by-side, concurrent ／并行／ Song song, song hành

③ 主観を入れず、問題文の内容からそのまま読みとろう

　読解問題で問われるのは、筆者の意見や主張で、それらを正しく把握しなければなりません。自分の経験や知識などに基づいて、主観的に判断したり、解釈を加えたりしてはいけません。また、問題文（本文）を読んだ後で問いに答えるとき、自分の記憶に頼って答えるのもやめましょう。答えの根拠は本文の中から探し、確認するようにしましょう。

2 読解問題を解く手順

① まず設問を確認してから、問題文を読もう

　問題文を読む前に、設問と選択肢に軽く目を通しておきましょう。この作業で、問題文のテー

マや内容の予測がつきます。また、設問を把握できれば、何に答えなければならないか、解答に関係のある部分かどうかを意識しながら読むことができます。重要と思われる文やキーワードをチェックしながら問題文を読み進めることができ、解答がしやすくなります。

逆に、質問の内容が全くわからないまま問題文を読み、その後で設問を読むと、答えを探すためにもう一度問題文を読まなければなりません。このやり方では、問題文を読み直す分、余計に時間がかかってしまいます。読解は時間が勝負ですから、効率的に問題を解く方法を身につけましょう。

② 問題文のテーマを把握しよう

問題文を読むと、繰り返し出てくる言葉やそれと同じ意味を持つ言葉を見つけることができます。また、言葉は違っても内容が似ている文が複数回出てくることもあります。それらがその文章のテーマであり、キーワードです。文章全体を把握するためには、一つ一つの単語や漢字よりも、テーマやキーワードをとらえることのほうが重要です。

また、問題文に関する補足情報（⇒問題文の下に書かれている作品名など）からテーマがわかることもあります。タイトルが書かれていないか、問題文を読む前に必ずチェックするようにしましょう。

③ 問題文を最後まで読もう（内容理解・主張理解・統合理解）

問題文は、先に目を通した設問の答えを探しつつも、まず最後まで読んでしまいます。途中でわからない言葉の意味を考えて止まったりせず、先へ進みましょう。また、設問に対する解答は、全部読んで筆者の考えや主張などを把握した後で考えるようにしましょう。

小説やエッセイなら、時間の流れに沿って、登場人物それぞれの行動と心の変化に注意し、評論や解説文なら、各段落が〈筆者の主張〉〈一般論〉〈反対の主張〉〈具体例〉〈説明〉などのどれに当たるのか、などをチェックしながら読みましょう。

④ 消去法を有効に使う

上の（1）－③でも述べたように、主観は入れずに答えを選びましょう。答えは問題文に基づいて探します。正しそうな選択肢を選ぶのではなく、間違っている選択肢を消すようにします。問題文に全く書かれていない内容を含むなど、選択肢の不適当な部分をチェックして、消していきましょう。最後まで残った選択肢が正しい選択肢です。選択肢の違いが微妙で迷った場合は、もう一度問題文に戻って確認します。

また、これが正解だとすぐにわかったときも、他の選択肢もチェックして、間違いがないことを確かめましょう。

＊主観：subjective／主观／Chủ quan

第1章 対策準備

UNIT 2 チェックの仕方

　ここでは長文問題の論説文を例に、文章にチェックを入れながら読み進める練習をします。限られた試験時間の中では、効率的に要点を浮かび上がらせるテクニックが必要です。
　論説文とは、あるテーマについて筆者の意見が論理的に述べられている文章で、問われる内容は主に、「筆者が文中で述べた表現の意味理解」「筆者の主張理解」「本文の内容と合っているものの選択」に絞られます。いずれにしても、1000字前後の文脈から筆者の意見が述べられている部分を的確に探し出せるかどうかが問題を解くカギになります。

　若い人が「仕事がつまらない」「会社が面白くない」というのはなぜか。それは要するに、自分のやることを人が与えてくれると思っているからです。でも会社が自分にあった仕事をくれるわけではありません。会社は全体として社会の中の穴を埋めているのです。その中で本気で働けば目の前に自分が埋めるべき穴は見つかるのです。

　社会のために働けというと封建的だと批判されるかもしれません。「自分が輝ける職場を見つけよう」というフレーズの方が通じやすいのかもしれません。しかしこれは嘘です。まず自分があるのではなく、先にあるのはあくまでも穴の方なのです。

　向き不向きだけでいえば、私は仕事に向いていないとずっと思ってきました。仕事よりも虫取りに向いていると今でも思っています。虫取りをしている間、自分で全然違和感がない。ただ、そればかりやっていても食っていけないということはわかっています。

　向いている虫取りをするためには、どうすべきかと考える。すると、財産も何もないし、とりあえず働くしかない。だから仕事には向いていないと思うけど、やめろと言われるまではやっていていいのではないかと思っているのです。

　本気で自分の仕事は天職だと思っている人はめったにいません。仮に虫取りが向いていても、それが仕事になっていいかというと、そうでもないでしょう。もしも虫取りが仕事になるとしてそれが嬉しいかといえばうっかりすると重荷になってしまうかもしれない。楽しんでいられることというのは、ある程度無責任だからこそなのです。

（養老孟司『超バカの壁』新潮新書による）

📖 **ことばと表現**

- □**封建的**（な）：feudal ／封建的／ Mang tính phong kiến
- □**虫取り**：虫を観察したり取ったりすること。
- □**天職**：神様が与えてくれた職業・仕事。自分の性質に最も合った職業。

② チェックの仕方

🕊 チェックを入れる前に

① 本文を読む前に、まず問題文を見て何が問われているかを頭に入れる。同時に、問題文や選択肢で使われている言葉に注目する。

② 最初の一文と最後の一文に注目する。これが［問題提起］と［結論・まとめ］にあたる場合が多く、文章の流れをつかみやすくなる。

🕊 チェックを入れるポイント

① 意見・考えを表す表現　⇒下線を引く

A．	肯定・強調	「〜べきだ」「〜なければならない」「〜必要がある」「〜に違いない」など
B．	否定・疑い	「〜わけではない」「〜ないのではないか」「〜恐れがある」「〜かもしれない」「〜かねない」など
C．	問題提起・問いかけ	「どうだろうか」「〜ではないか」「なぜ〜だろうか」など

② 流れがわかる接続表現や副詞　⇒種類別に目印をつけるなどすれば見やすい

A．	順接	「そして」「だから」「また」「それに」「さらに」「したがって」など
B．	逆説	「しかし」「ところが」「とはいえ」「ただし」「仮に〜ても」「むしろ」など
C．	言い換え・結論・強調	「つまり」「要するに」「したがって」「〜こそ」「…ではなく〜」「まさに」など
D．	例示・仮定	「たとえば」「もしも」など

③ キーワード（繰り返し出てくる言葉、問題文に出ている言葉）　⇒波線を引く

🕊 解き方のポイント

■ ①〜③が自然にできるように多くの問題で練習しておくこと。できれば、一度読んだだけで要旨がつかめるように。読み返す場合も、自分なりのチェックのルールに慣れていれば、全文を読む必要はない。チェック項目を頭の中で整理しておく。

■ チェックを入れることで、この文章のキーワードは「（社会の中の）穴」であり、「仕事とはその穴を埋めること」であり、「向き不向きを考えるより、まず目の前の穴を埋めろ」というのが筆者の意見であることがわかる。

■ 選択肢については、一見、正しく見える一般論や正論に惑わされないように注意する。答えはあくまでも本文中にあり、書かれていないことは答えではない。

第1章
対策準備

UNIT 3 指示詞（コソア表現）の整理

1 使い方

こ	①自分の領域	例	着なくなった服は全部捨てたんだけど、これは祖母が買ってくれたものだから、残すことにした。
	②今話題になっていること	例	3日前の正午ごろ、背の高い一人の男が店に来た。まさにこの男が犯人だった。
	③直面していること	例	私の不注意な一言が客を怒らせてしまい、これは大変なことになったと思った。
	④引用	例	「結婚のご予定は？」。人からこう言われる度に、余計なお世話だと思う。
そ	①相手の領域	例	子どもは親の自由になるというあなたのその考えが間違っていると言っているんです。
	②今話題になっていること	例	大勢の前で恥をかかされた、その時の私の気持ちがわかりますか。
	③相手が今言ったこと	例	中止になるなんて、がっかりです。でも、それは本当なんですか。
	④相手が直面していること	例	毎日2時間も残業があるの？　そんな会社はやめたほうがいいよ。
あ	①共通の領域	例	交差点の手前に白いビルが見えるでしょう。あれが私たちの会社のビルです。
	②過去・回想	例	母が作ってくれた卵焼きの味、あの味はもう二度と体験できないのだ。

＊領域：domain ／領域／ Lĩnh vực

2 形

① 単独で名詞と同じように使う

A. もの　〔これ・それ・あれ〕
B. 場所　〔ここ・そこ・あそこ〕
C. 方向　〔こっち・そっち・あっち／こちら・そちら・あちら〕
例 そちらの皆様はいかがお過ごしでしょうか。こちらでは皆、元気にしております。

② 名詞に続く形で使う

A. 特定〔この・その・あの〕

B. 様子・状態〔こんな・そんな・あんな〕／〔このような・そのような・あのような〕
例1 旅行に出発しようという、そんなときに限って子どもがよく熱を出したりしたものだ。
例2 あのような恐ろしい体験は、それ以来、経験していない。

③ 動詞・形容詞・副詞に続く形で使う

A. 様子・状態
〔こんなに・そんなに・あんなに〕／〔このように・そのように・あのように〕
例 部長も、あんなに怒らなくてもいいのにね。田中さんがかわいそう。

〔こう／そう／ああ〕
例 あの人はいつも「ああ言えばこう言う」で、言い訳ばかりしている。

3 文中での位置

① 前に出た語句や内容を指す場合
例1 ABCビルって知ってますよね、去年できた。その地下ホールが会場です。
例2 母はいつも節約、節約と言って、1円でも大切にしていた。そんな母に靴がほしいとは言えなかった。
例3 試合は私のミスで負けたようなものだった。なんでこんなミスをしたのか、悔しくてしょうがなかった。

② 後ろの語句や内容を指す場合
例1 男はドアを閉めながらこう言った。「また来るぜ」。
例2 タンゴは、このように踊ります。まず、向い合って立ってください。次に…
例3 参加者の中には、あんな格好で外は歩けないと思うくらい変な服を着た人もいた。
例4 その美しい声は聴く者に驚きと感動を与え、彼女はたちまち人気歌手となった。

③ 前にも後ろにもはっきりとは現れない場合
例1 アルバイトをしている店で注文を間違えてしまった。でも、その客は怒らなかった。
例2 妹は楽しそうに、あそこにもいる、ここにもいると蝶を追いかけ続けた。
例3 あんなに大変な苦労をして作っているとは、工場を訪れるまでは夢にも思わなかった。

第1章 対策準備

UNIT 4 文末表現の整理

日本語は文末にいろいろな文型を付けて、筆者の気持ちや意思を表すことが多いです。この文末表現の意味をしっかり理解することが、文全体の意味を正しく理解することにつながります。文末表現を意味ごとに整理していきましょう。

意味	文末表現と例文
否定	□ **〜わけがない** ＝ 絶対〜ない　※確信的 ▶こんなにたくさんの宿題が一時間でできるわけがない。 □ **〜ものか** ＝ 絶対〜ない　※感情的 ▶残業手当もない会社で働けるものか。 □ **〜（という）わけではない** ＝ 全部〜とはいえない ▶大学を卒業しても、みんなが条件のいい仕事につけるわけではない。 □ **〜というものではない** ＝ 必ず〜になるとはいえない ▶子供だからといって、何をしても許されるというものではない。
不可能	□ **〜ようがない** ＝ 〜の方法が全くない ▶父の病状は悪化し、もう治療のしようがなかった。 □ **〜えない** ＝ 〜の可能性がない ▶夫婦間のことは、その二人にしかわかりえない。 □ **〜がたい** ＝ 〜はむずかしい／〜できない ▶生徒の信頼を裏切った先生の行為は許しがたい。 □ **〜わけにはいかない** ＝ 事情があって〜できない ▶このお菓子は社長の奥様の手作りだから、捨てるわけにはいかない。 □ **〜かねる** ＝ その状況では〜できない ▶新人の私では判断しかねますので、上司と相談してまいります。 □ **〜に〜ない／〜(よ)うにも〜ない** ＝ 〜したいが、事情があってできない ▶外は大雨とひどい風で、家から出るに出られなかった。 □ **〜べくもない** ＝ 当然〜できない ▶犯人が近所に住んでいたなど、そのときは知るべくもなかった。
評価	□ **〜だけのことはある** ＝ 〜という条件から期待できる通りの状態だ ▶彼の英語の発音はなめらかだ。留学していただけのことはある。

④ 文末表現の整理

	□ **〜ったらない** ＝ 最高に〜だ ▶ 昨日行ったお寺の紅葉の美しさといったらなかった。	
	□ **〜とは…** ＝ 〜はひどい、すごい ▶ せっかく大学に入ったのに1か月でやめてしまうとは……	
結末 結果	□ **〜ところだった** ＝ もう少しで〜になる状況だったが、ならなかった ▶ 今朝は寝坊をして、会社に遅刻するところだった。→遅刻していない	
	□ **〜ずじまいだ** ＝ 〜たいと思っていたが、結局できなかった ▶ 仕事が忙しくて、夏休みも冬休みもとれずじまいだ。	
	□ **〜始末だ** ＝ 〜という悪い結末になった ▶ 息子はだんだん大学に行かなくなり、ついには退学する始末だ。	
強い 感情	□ **〜てしかたがない／〜てたまらない／〜てならない** ＝ 非常に強く〜と感じる ▶ 大学に入って自由な時間が増え、楽しくてたまらない。	
	□ **〜ないではいられない／〜ずにはいられない** ＝ どうしても〜てしまって抑えられない ▶ 私はコーヒーが好きで、食事の後に必ず飲まずにはいられない。	
	□ **〜てやまない** ＝ 〜という強い気持ちをながく持っている ▶ 今日結婚されたお二人の幸せを願ってやみません。	
	□ **〜ないではすまない／〜ずにはすまない** ＝ 状況を考えると、後に必ず〜する ▶ 会社のお金を横領するなんて、ばれずにはすまないよ。	
	□ **〜ないではおかない／〜ずにはおかない** ＝〜ないままにしておくことはない、必ず自然に〜になる ▶ 彼の小説は若い読者の心をとらえずにはおかなかった。	
	□ **〜を禁じえない** ＝ 〜という気持ちをおさえられない ▶ 最近の殺人事件の報道を見ていると、動機のあいまいさに驚きを禁じえない。	
推量 予想	□ **〜とみえる** ＝ 〜らしい、〜ようだ ▶ その子はずっと泣いていたが、眠ってしまった。泣き疲れたとみえる。	
	□ **〜かねない** ＝ 〜という悪い結果になるかもしれない ▶ あの人はおしゃべりだから、秘密でも何でもしゃべりかねない。 → しゃべる	
	□ **〜おそれがある** ＝ 〜という悪いことが起こる可能性がある ▶ 地震による津波のおそれがありますので、注意してください。	
	□ **〜まい** ＝ 〜ないだろう ▶ Aさんは事件については何も話すまい。	

	☐ **〜ではあるまいか** ＝ 〜ではないだろうか	
	▸ Aさんは事件については何も話さないのではあるまいか。	
	☐ **〜にちがいない／に相違ない／に決まっている** ＝ きっと〜だろう	
	▸ Aさんはお金持ちだから、大きな家に住んでいるにちがいない。	
主張	☐ **〜ものだ** ＝ 一般的に考えて、本来〜だ	
	▸ お年寄りには親切にするものだ。	
	☐ **〜にすぎない** ＝ ただ〜だけで、それ以上ではない	
	▸ わたしは子どもたちの幸せを願う、普通の親にすぎません。	
	☐ **〜にほかならない** ＝ 〜であって、それ以外ではない	
	▸ 親が子どもをしかるのは、子どもがかわいいからにほかならない。	
	☐ **〜にこしたことはない** ＝ 絶対的にではないが、当然〜ほうがいい。	
	▸ 外国語ができなくても海外旅行はできるが、言葉がわかるにこしたことはない。	
	☐ **〜しかない／よりほかない** ＝ 〜以外には方法がない	
	▸ 外国語がじょうずになりたかったら、たくさん話すしかありません。	
	☐ **〜べきだ** ＝ 〜するのが当然だ、〜なければならない	
	☐ **〜べきではない** ＝ 〜してはいけない	
	▸ 親は子どもの教育に責任を持つべきだ。何でも学校に任せてしまうべきではない。	
	☐ **〜までもない** ＝ わざわざ〜する必要はない	
	▸ 学生にとって勉強が一番大切だということは、言うまでもない。	
	☐ **〜までだ／までのことだ** ＝ ①他に方法がないなら、〜する ②ただ〜だけで、深い意味はない	
	▸ ① もし日本で進学できなかったら、帰国するまでだ。 ② 私にお礼をおっしゃる必要はないんですよ。私は自分の仕事をしたまでのことです。	
	☐ **〜ば、それまでだ** ＝ もし〜たら、それ以上は何もできない	
	▸ いくらお金があっても、死んでしまえばそれまでだ。	
	☐ **〜には当たらない** ＝ 〜は適当ではない	
	▸ 都心のマンションなら、家賃が20万円でも驚くには当たらない。	
	☐ **〜でなくてなんだろうか** ＝ 絶対に〜だ／〜以外のものではない	
	▸ 毎日クラス中で一人を無視するなんて、これがいじめでなくてなんだろうか。	
提案 意志	☐ **〜（よ）うではないか／〜（よ）うじゃないか** ＝ 一緒に〜しよう	
	▸ 文化祭の成功のために、がんばろうじゃないか。	
	☐ **〜ことだ** ＝ 〜ことが大切だ	
	▸ 早く日本に慣れるためには、日本人の友だちをつくることだ。	

④ 文末表現の整理

	□ **〜ものだ** = 〜したほうがいい／〜しなければならない	
	□ **〜ものではない** = 〜しないほうがいい／〜してはいけない	
	▶ かくれて人の悪口を言うものではありません。	
	□ **〜ことはない** = 〜する必要はない	
	▶ あなたは悪くないのだから、あやまることはない。	
	□ **〜まい** = 〜しないつもりだ	
	▶ もう二度と、子どもをたたいたりするまい。	
	□ **〜ものか** = 絶対〜しないつもりだ／感情的	
	▶ あの店は高いのにまずかった。もう二度と行くものか。	
希望 (きぼう)	□ **〜たいものだ／〜てほしいものだ** = 〜たい／〜てほしい と強く願う	
	▶ 働きながら子育てができる社会に早くなってほしいものだ。	
	□ **〜ないものだろうか** = 何とかして〜という状態になってほしい	
	▶ 働きながら子育てができる社会に早くならないものだろうか。	
感動 (かんどう)	□ **〜ものだ** = ① 〜という過去の習慣がなつかしい 　　　　　　　② 〜ということを非常に強く感じる	
	▶ ① 子どものころはよく母に叱られたものだ。 　② 子どもでもスマホを使いこなす時代になったものだ。	
	□ **〜ものがある** = 〜という感じがある	
	▶ 今の仕事は楽しいが、給料が安いため、将来のことを考えるとつらいものがある。	
	□ **〜ことだろう／〜ことか** = 大変多く／真剣に〜と思う	
	▶ 祖母はどんなに私をかわいがってくれたことか。	
強制 (きょうせい)	□ **〜ないわけにはいかない** = 事情があって〜しなければならない	
	▶ 会社の同僚が結婚するから、あまり親しくない人でもお祝いをあげないわけにはいかない。	
	□ **〜ざるをえない** = そうしたくないが事情があってしかたなく〜する	
	▶ 父が病気になって、帰国せざるをえなくなった。	
	□ **〜を余儀なくされる** = 事情があってどうしても〜しなければならなくなる	
	▶ A社の社長は、贈賄事件の責任をとって辞職を余儀なくされた。	

第1章 対策準備

UNIT 5 接続詞の整理

1 文章のつながりを接続詞で知る!!

　文章を早く正確に読むためには、次に書いてあることを予測し、文と文のつながりを素早くとらえることが必要である。そのために重要なカギとなるのが「接続詞」である。

2 接続詞の使い方

　答えのヒントの多くは「接続詞の前後」にある。だから、文章を読んでいて接続詞が出てきたら、丸で囲むこと。一通り全部読み再度読み返すときも、接続詞がチェックしてあれば、ポイントとなる部分が早く見つけられ、時間短縮になる。

3 文章予測のための重要な接続詞

① 前後の文を逆の内容でつなげる──「逆接」

　例 しかし、けれども、だが、ところが、にもかかわらず、それにしても、でも…

　前の内容を否定するということは、筆者はそれを重視していないということになる。後の文を強調するために、あえて前の文の内容に対して否定的な見方を示して意見を述べることが、説明文や論説文には多い。

> 若い頃は忙しかった。今は旅行に行く時間も金もある。 だが 、健康が許さないのだ。

　この文で言いたいことは、若い頃の話ではなく、今は健康ではないので旅行に行けないということである。若い頃の話を出すことによって、今の状態が強調されるのだ。このように逆接の後には筆者の主張が現れることが多い。

② 前の文の内容の理由を述べる──「理由」

　例 なぜなら、というのは、なぜかといえば…

　詳しく理由説明をするときに使う接続詞である。「筆者の主張の理由」を問う問題ではかなり重要な接続詞である。ここで注意すべきは、「順接」の「だから、ので、から」などの前後の関係。これらの後には、前の文で説明したことの結果がくるので、この場合は、前の文が理由説明のことが多い。

> 規則は尊重すべきものだ。 なぜなら 、社会の秩序は規則によって保たれているのだ。
> 社会の秩序は規則によって保たれているのだ。 だから 、規則は尊重すべきものなのだ。

この文で「筆者の主張の理由」は「社会の秩序は規則によって保たれている」である。このように理由の後に筆者の主張の理由が現れることが多い。

＊順接：二つの文や句の接続のしかたで、前の文の内容を順当な結果につなげる。

③ 前の文の言葉や内容を別の言葉で表現する——「言い換え」

例 つまり、要するに、すなわち、結局、いわゆる…

言い換えを表す接続詞の後には、前で述べたことが読者にわかりやすいようにまとめられている。つまり、「いろいろ書いたが、これが言いたかった」という場合に使われることが多い。したがって、ここにも**筆者の主張がまとめられていることが多い**。ただし、「説明」をまとめるときにも使われるので、注意が必要である。

> 学校で英語を勉強してもしなくても、社会人になってからは、大した影響がない。 要するに 、学生時代に習った英語は社会に出てからあまり役に立たないということだ。

④ 前の文で述べた内容の例を示す——「例示」

例 たとえば、いわば…

前の文の言葉や内容をわかりやすくするための具体例である。あくまでもわかりやすく説明するためのものだから、読み飛ばしても問題はない。が、「具体例を問う」問題の場合は何の例か、その例はどこで終わっているのか、などには注意すべきである。

> かつてはどこの大学を卒業したかでその後の一生が大きく左右される時代があった。卒業証書が いわば 社会へのパスポートだったのである。

3 その他の接続詞の例

①前の文の内容を順当な結果につなげる──「順接」
例 だから、したがって、それで、すると、それなら、まして…

＊順当（な）：そうなるのが当然であること。

②前の文や句と同じ内容のものを並べる──「並列」
例 また、ならびに、および、なおかつ…

③前の文に後の文を付け加える──「添加」
例 そして、さらに、しかも、それに、それから…

④前の文を補ったり、例外や条件を付けたりする──「補足」
例 ただし、ちなみに、もっとも、ただ…

⑤前の文の内容から話題を変える──「転換」
例 ところで、さて、では、それはさておき、それはそうと…

⑥前の文と後の文を対比したり、選ばせたりする──「選択」
例 あるいは、または、もしくは、それとも…

＊対比（する）：二つのものを並べ比べて、違いをはっきりさせる

PART 2 対策編

第2章 実戦練習

- **UNIT 1** 内容理解（短文）に挑戦！
- **UNIT 2** 内容理解（中文）に挑戦！
- **UNIT 3** 内容理解（長文）に挑戦！
- **UNIT 4** 統合理解に挑戦！
- **UNIT 5** 主張理解（長文）に挑戦！
- **UNIT 6** 情報検索に挑戦！

UNIT 1 内容理解（短文）に挑戦！

第2章 実戦練習

❓ どんな問題？

内容理解（短文）は200字ほどの長さの文を読んで内容を理解する問題です。生活や仕事など様々な場面での話題で、説明文や指示文の理解が問われます。

問題は一題につき一問で、4題出題されます。

パターン 1 一部の表現について問う

> **POINT**
>
> 短文問題の場合、文字数は少ないですが、文章全体を読まなければ解けないように作問されていることが多いです。一部の表現について問う問題でも、問われている下線部の前後でなく、離れた場所に解答のカギがあることも少なくありません。文章全体にしっかり注意を向けるようにしましょう。

例題

次の文章を読んで、後の問いに対して最も適当な答えを1～4から1つ選びなさい。

> あいさつは人と人との関係を滑らかにするための潤滑油だという言い方をよくされる。しかし、あいさつした側とあいさつをされる側の感覚がずれていると、反対に人間関係を壊してしまう場合もある。たかがあいさつ、されどあいさつなのだ。
>
> よく取り上げられる「お疲れさま」や「ご苦労さま」にしても、受けた側が不快に思うのであれば、使う際には注意したい。また、職場や家庭によって使い方も変わる。「いただきます」を言わない家庭もあるという。言葉がなくても心が伝わることもあるだろうし、いくら心がこもっていても伝わらなければ意味がない。短いだけに、簡単なようで難しい。

問い 心がこもっていても伝わらなければ意味がないとあるが、同じような意味を表すのはどれか。

1　あいさつは人と人との関係を滑らかにするための潤滑油だ。
2　あいさつするほうと受けるほうの感覚がずれていると人間関係が壊れてしまう。
3　あいさつを受けたほうが不快に思うこともあるので、言葉は選ばなければならない。
4　職場や家庭によっては、あいさつがなくても心が伝わることもある。

① 内容理解（短文）に挑戦！

> **解き方**
>
> 短文問題は各1問のみだが、基礎編で練習したようにさまざまな問いがある。何を聞かれているのか、すぐに判断して答えるようにしたい。下線部の意味を問う問題なので、同じ意味を表す部分を本文中から探す。下線部の前後かもしれないし、少し離れたところかもしれない。ここでは後者。答えは**2**。
>
> **ことばと表現**
> □ 滑らか（な）：smooth ／光滑／ Trơn tru
> □ 潤滑油：lubricant ／潤滑油／ Dầu bôi trơn

EXERCISE 1

⇒答えは p.190

次の文章を読んで、後の問いに対して最もよい答えを、1・2・3・4から一つ選びなさい。

このところ、日本の夏は暑い日が多く、台風の発生に加え、突然の激しい雨、雷、ヒョウ、竜巻などの異常気象現象も増えている気がする。そんな中で、雷が鳴ったら、私はまずパソコンの電源をコンセントから抜いている。落雷により家電に過電流が流れ、機器を壊すと聞いたからだ。これには過電流をカットするコンセントも売られているから、そのほうが安心かもしれない。しかし、落雷があれば、電話線やアンテナ線経由でも過電流は流れる。電気のコンセント以外に、あちこち抜かなければならないケーブルもあるということだ。雷が鳴ったら家じゅうのコードを抜いて回っておくと、ひとまず安心だろう。

問い　これとあるが、何を指しているか。

1　異常気象現象が増えていること
2　雷が鳴ること
3　パソコンをコンセントから抜くこと
4　家電に過電流が流れること

パターン 2 キーワードをチェックする

POINT

全文から文の意図を読み取るには、何度も出てくるキーワードをチェックすることが不可欠です。

例題

次の文章を読んで、後の問いに対して最もよい答えを、1・2・3・4から一つ選びなさい。

> ここ数年、台風が大型化していると言われている。原因としては日本付近の海水の高温化があげられている。以前なら日本から遠い海で台風が発生し、徐々に勢力を拡大し、九州から近畿地方あたりに上陸すると勢力を弱め、その後、日本海に抜けて消滅するというパターンが多かった。しかし最近は、日本近海で発生し、勢力を衰えさせずに上陸し、日本海に抜けた後も東北や北海道地方に再上陸して大雨などの被害をもたらすことも増えた。また、スーパー台風という、従来の台風をしのぐ勢力を持った台風が来る可能性も言われている。私たちの備えも従来通りでは危険だということだ。

問い　筆者がここで最も言いたいことは何か。

1　ここ数年、台風がどんどん大型化してきているということ
2　日本近海の海水温が上がったことで勢力の強い台風が増えたこと
3　東北や北海道にも台風が行って被害を与えるようになったこと
4　今までの経験だけではこれからの台風には備えられないこと

解き方

「大型化」「高温化」「以前なら」「最近は」「増えた」という言葉から、台風が変化してきていることがわかる。さらに大きな台風が来る可能性もあることから、「従来どおりでは危険」は、「今までの経験だけに頼っていてはだめだ」という意味。答えは**4**。

ことばと表現

- **勢力**：influence, power ／势力／ Thế lực, sức ảnh hưởng
- **従来**：以前から今まで。これまで。

① 内容理解（短文）に挑戦！

EXERCISE 2

⇒答えは p.190

次の文章を読んで、後の問いに対して最もよい答えを、1・2・3・4から一つ選びなさい。

　「けん玉」を日本発祥の郷土玩具だと思っている人も多いが、そのけん玉がいま、欧米の若者たちの人気を集め、動画サイトではさまざまな技が競われている。KENDAMAという名で国際大会も開かれている。しかし、その原型はヨーロッパや北南米にもあったという素朴な遊具で、江戸時代に日本に入ってきたらしい。その後、各地に広まり改良が加えられ、いまの形になったのは20世紀になってからだ。2010年頃、日本に来ていたアメリカ人青年がその魅力にはまり、インターネットで紹介したところ、世界に広まった。けん玉の基本的な技に「世界一周」というのがあるが、けん玉自身が世界一周しているようだ。

問い　この文の内容と合っているものはどれか。

1　けん玉は日本生まれの玩具だが、インターネットのおかげで世界中で人気がある。
2　けん玉は、元々ヨーロッパやアメリカで人気があったものが日本に入ってきた。
3　けん玉は日本で古くから愛されてきたが、今では外国でだけ人気がある。
4　けん玉は、ヨーロッパなどで生まれ日本で進化し、再び欧米で受け入れられている。

EXERCISE 3

⇒答えは p.190

次の文章を読んで、後の問いに対して最もよい答えを、1・2・3・4から一つ選びなさい。

　最近、エスカレーターが話題に上ることが多くなった。エスカレーターの関連団体がエスカレーターでは歩かないようにと言いはじめたからだ。エスカレーターといえば、以前は利用者の「片側空け」がよく話題になった。例えば、東京と大阪とで左右が全く逆だからだ。「急ぐ人のために〜側を空けるように」というアナウンスをしていた時期もあった。しかし、立っている人と脇を抜ける人との接触事故防止のため、今回の<u>新しいルール</u>が作られた。しかし、「片側空け」もそうだが、長年身についた習慣はそう簡単には変えられない。そのせいか、新しいキャンペーンが一般に浸透しているとはまだまだ言い難い。

問い　新しいルールとあるが、どんなものか。

1　エスカレーターに乗るときは右側に立って左側を開けろというもの
2　エスカレーターに乗るときは左側に立って右側を開けろというもの
3　エスカレーターの乗るときは歩かずにじっと立っていろというもの
4　エスカレーターに乗るときは立っている人の脇を抜けろというもの

第2章
実戦練習

UNIT 2 内容理解（中文）に挑戦！

❓ どんな問題？

評論、解説、エッセイなど500字程度の文章について、因果関係や理由などが理解できるかを問う問題です。問題は一つの文章につき小問が3問あり、全部で3題出題されます。

パターン 1 筆者の立場を考える

🎵 POINT

筆者の意見と物事の説明を明確にとらえます。その際、肯定的にとらえている表現や否定的、批判的にとらえている表現があれば、筆者の立場がどちらにあるのか見極めることが大切です。また、「いつ、どこで、だれが、どうして、何をした」や指示詞は"基本中の基本"です。しっかり押さえておきましょう。

例題

次の文章を読んで、後の問いに対する答えとして最も適当なものを1～4から1つ選びなさい。

　喫茶店という存在は、日本の土壌の中で独特の役割を数かぎりなく果たしてきたのではなかろうか。一杯の珈琲から恋の花咲くことはもちろん、喫茶店がデートの場所として、欠くべからざる存在であったのは言うまでもない。また、恋の花咲かぬ若者の屈託や人生の孤独が、いっとき忘れ去られる場所であったのもたしかだろう。とりあえずの待ち合わせや商談の場所としても、まことに便利だった。コーヒー一杯飲む時間の中で、なにかのメドが立つことだって、けっこうあったにちがいないのだ。
　日本へやってきた外国人がおどろくもののひとつが、日本人が縦横につかいこなしている、こういう街の喫茶店であるらしいと、かつて誰かから聞いたことがあった。実際、コーヒー一杯でながい時間ねばっている客、それを悠々と放っておく店の人……この組み合わせがなんとも絶妙で、よい意味での放ったらかしとはこのことかと①感服させられたというのだ。
　テーブルに小型のピーナッツ販売機が取り付けられていて、十円硬貨を入れると、ピーナッツにまじって小さくよじれたおみくじが出てくる店も、かなりあった。大雑把なその

おみくじの吉や小吉を見つめながら、彼女の顔を思い浮かべたりしていれば、時は、退屈することなく過ぎていく。②あれは、きわめて日本人らしいサービスのありようだった。

(村松友視『銀座の喫茶店ものがたり』文春文庫による)

[1] ①感服させられたとあるが、感服したのは誰か。

1　外国人
2　筆者の知り合いの誰か
3　喫茶店の客
4　喫茶店の人

[2] ②あれとは、何を指しているか。

1　テーブル
2　ピーナッツ販売機
3　おみくじ
4　喫茶店

[3] 筆者にとって、喫茶店はどのような場所だったか。

1　デートにはふさわしくない場所
2　人を放ったらかしにする冷たい場所
3　寂しい若者が寂しさを忘れる場所
4　勉強したり仕事をしたりする場所

解き方

[1] 「感服する」というのは、理解して感心すること。前述の「おどろく」と意味が近いことに気付くと、「外国人」であることがわかる。答えは1。

[2] 「日本人らしいサービス」とある。直接的には「おみくじ」が客の退屈しのぎになっていて、おみくじの入った機械を置くことが店側の「サービス」と考える。答えは2。

[3] 「欠くべからざる」(3行目)とは「なくてはならない」と同じ意味。「絶妙」「よい意味」は好意的な表現。「孤独」＝「寂しさ」。商談(仕事の話)はしたが、勉強をしたとは言っていない。答えは3。

ことばと表現

- **土壌**：作物を育てる土、土地。
- **屈託**：気になることがあって、心が晴れないこと。
- **メドが立つ**：メドは漢字で「目途／目処」。話が進み、計画などが実現できると思える段階になる。
- **絶妙(な)**：技ややり方などがこれ以上ないほどすぐれている。
- **放ったらかし**：neglect／弁置不顾／Bỏ mặc
- **感服(する)**：深く感心して、尊敬の気持ちを抱くこと。
- **よじれる**：twisted／拧／Uốn éo, vặn vẹo
- **おみくじ**：神社や寺で引く運を占うためのくじ。
- **吉**：めでたいこと、運がよいこと。
- **ありよう**：「有り様」とも書く。

EXERCISE 1

⇒答えは p.190

次の文章を読んで、後の問いに対する答えとして最も適当なものを1～4から1つ選びなさい。

　運動会と言えば秋の風物詩だったが、季節的な事情や他のイベントとの兼ね合いで春に行うところも増えた。学校の行事でありながら、小学校などでは教師や親、さらには地域の人たちまで参加し、町をあげての行事になっているところもある。また、企業や町内会の単位でも実施され、ヨーロッパ発祥のスポーツイベントだが、日本独自の進化を遂げている。演目も走ることを中心に組まれるが、パン食い競争や借り物競争など笑いを誘うものや、祭りの踊りなど地域に根ざしたものなどもあり、誰でも楽しめるものになっている。
ところが最近、人が積み重なってピラミッドをつくる人間ピラミッドが問題視されている。全員が力を合わせそれぞれの役割を果たし、見事成功すると達成感も一体感も大きいのだが、年を追うごとにエスカレートし、11段という途方もない高さに挑戦する学校も出てきたのだ。こうなるとスポーツというより見世物だ。危険度も増す。あまりの事故の多さに国も対策に乗り出し、5段までという制限を加える自治体も現れた。
　運動会はオリンピックのように成果を誇るものではないし、ましてやサーカスのような演技を誰も期待してはいない。子どもたちがやりたいと思い、努力し、挑戦する。その過程こそが経験させたいものだ。子どもたちの感動や喜びが第一になければならない。

(注)町をあげての：町全体の。

② 内容理解（中文）に挑戦！

1　運動会についての本文の説明と一致しているものはどれか。

1　今でも運動会は秋の風物詩だ。
2　運動会は学校でのみ行われている。
3　ヨーロッパから伝わったが形は変わった。
4　スポーツより見て楽しい演目が多い。

2　人間ピラミッドが問題視されているのはなぜか。

1　全員が力を合わせるのは大変なことだから
2　成功しないと一体感も達成感もないから
3　より難しいことを求めるようになってきたから
4　楽しい演目に制限を加える自治体も現れたから

3　筆者は運動会にどんな意味を求めているか。

1　子どもたちの成果
2　子どもたちの演技
3　子どもたちの自由
4　子どもたちの感動

パターン 2 新しい言葉の意味をとらえる

> **POINT**
>
> 説明文では、見慣れない言葉がよく使われます。しかし、専門的な言葉など、その多くは本文中のどこかで説明がされています。いずれにせよ、目新しい言葉に惑わされずに、問われていることに沿って、要点をしっかり押さえましょう。

例題

次の文章を読んで、後の問いに対する答えとして最も適当なものを1〜4から1つ選びなさい。

　①孔子は人生の名指圧師である。もたもたした論理をいじりまわさずに、相手のツボを直接深く押さえる。②相手の状況に応じてツボを直接深く押さえる。弟子たちの質問にだらだら答えない。つねに端的である。下村胡人は名著「論語物語」で、「一人一人の病気をよく知りぬいていて、まるで魔術のように急所を押さえてしまう。しかもその急所の押さえ方は、けっしてその場の思いつきではない。孔子の心のどこかに、一つの精妙な機械が据えつけてあって、そこから時と場合に応じて、自由自在にいろんな手が飛び出してくるように思える」と書く。

　私は自分の教育研究を指圧の研究から始めた。上手な指圧師は、相手の受け入れの構え〈積極的受動性〉を引き出す。そして「響き」がその後からだに残るようなツボの押さえ方をする。指圧を受けたものは、響きの残響を手がかりに自分で自分のからだを調整できるようになっていく。③教育と上手な指圧とは実によく似ている。孔子の一言を弟子たちは自分を一生鍛えてくれる宝として肝に銘じたろう。具体的な状況の中で発せられた簡潔な言葉が何千年も普遍性を持ちつづけるのは不思議なことだ。

(齋藤孝『声に出して読みたい日本語』草思社による)

1　①孔子は人生の名指圧師とあるが、なぜか。

1　病気のことをよく知って上手に直すから
2　相手の受け入れの構えを引き出すから
3　指圧のツボを直接を深く押さえるから
4　人を一生鍛える言葉を発してくれるから

② 内容理解（中文）に挑戦！

2 ②相手の状況に応じてツボを直接深く押さえるとあるが、同じような意味を表しているのはどれか。

1 一人ひとりの病気をよく知り抜いている。
2 魔術のように急所を押さえてしまう。
3 急所の押さえ方は、けっしてその場の思いつきではない。
4 時と場合に応じて、自由自在にいろんな手が飛び出してくる。

3 ③教育と上手な指圧とは実によく似ているとあるが、どのように似ているのか。

1 ツボを押さえられると、きもちよくなる点
2 受けたことを手がかりに自分で調整できるようになる点
3 時と場合に応じて、いろいろな手が飛び出してくる点
4 何千年も普遍性を持ち続けている不思議な点

解き方

孔子の弟子の導き方と良い指圧の共通点を述べることで、孔子の教育者としてのすばらしさを説明した文。孔子の教えと指圧の説明が重なって出てくるが、言いたいのは孔子のこと。指圧は例に過ぎない。指圧のどの説明が孔子の指導と一致するのかを読みとる。

1 指圧によって「自分で自分のからだを調整できるようになっていく」のと同じように、孔子の一言は「弟子たちを一生鍛えてくれる」。正解は**4**

2 「相手の状況に応じて」というのが「時と場合に応じて」と重なる。正解は**4**

3 〈状況に応じて端的に発せられる言葉が聞いた者の一生の宝になり、さらには何千年もの普遍性を持つ〉ことを言いたい。**1**と考え方は同じ。正解は**2**

ことばと表現

□ 孔子：Confucius ／孔子／ Khổng Tử
□ 指圧(する)：治療のため、指や手の平で体の一部を押すこと。
□ ツボ：指圧などで、治療の効果と結びつけられる体の場所、ポイント。
□ 端的(な)：遠回しでなく、はっきりと表される様子。
□ 急所：体の中で命にかかわる大事なところ。最も大事なところ。
□ 思いつき：idea ／未加思索／ Nghĩ ra
□ 精妙(な)：技術などが細かくすぐれていること。
□ 据えつける：ある場所に物を置いて動かないようにする。
□ 構え：予想される事態のための用意。　□ 肝に銘じる：忘れないように心がける。
□ 普遍性：universality ／普遍性／ Tính phổ biến

EXERCISE 2

⇒答えは p.191

次の文章を読んで、後の問いに対する答えとして最も適当なものを1〜4から1つ選びなさい。

　若者の車離れが言われるようになって久しい。どうやらこれは日本だけではなく、ヨーロッパやアメリカでも同様らしい。なぜか。若者に魅力のある車が少ないとか、ほかに興味や関心のあるものが増えたとか、いろいろ言われている。日本では若者の数が年々減っていることも要因の一つだろうが、若者が将来に安心感を持てない社会の状況も大きな理由と思われる。特に都会では、車に頼らなくても生活に困らないほど交通機関が発達しているし、車を持ってしまうと家賃に匹敵するくらいの駐車場代を払わなければならない。保険代や検査代などを含めた年間の維持費もバカにならないのだ。こうした負担を抱え続けてまで車を持つかと言われれば、答えは自ずと出てくるだろう。

　昨年結婚したおいは、郊外のマンションを新居に選んだ。緑に囲まれた快適な環境にあるが、会社まで歩いて15分ほどだった通勤時間は電車で1時間以上に延びた。買い物などには不便だろうと思われたが、車は持っていない。ところが、マンション近くの駐車場に並ぶぴかぴかの車を指さして、おいは「これは全部僕の車。使う目的に合わせて好きな車を使いたい時間だけ借りるんだ」と自慢げに話した。最近利用者が増えているカーシェアリングの駐車場だった。車の維持費に使う費用があったら旅行やおいしいものを食べに行くのに使いたいと言う。確かにそれも一つの選択だと思った。

② 内容理解（中文）に挑戦！

1　年間の維持費もバカにならないとはどういう意味か。

1　若者の生活費はかなり多い。
2　若者は生活費はそれほど多くない。
3　車を持つと、お金がとてもかかる。
4　車を持っても、お金はそれほどかからない。

2　筆者のおいが車を持たないのはどうしてか。

1　魅力のある車が少ないから
2　将来の経済状況に安心できないから
3　交通機関が発達していて車がなくても困らないから
4　車にかけるお金で好きなことをしたいから

3　筆者はおいの生活スタイルについてどう思っているか。

1　1時間もかけて電車通勤しているなんて時間のむだだ。
2　緑に囲まれた快適な環境に暮らしていてうらやましい。
3　買い物などには不便な環境に暮らしていて、大変そうだ。
4　自分の好きなことになるべくお金を使おうとするのはいい。

第2章
実戦練習

UNIT 3 内容理解（長文）に挑戦！

❓ どんな問題？

評論、エッセイ、小説など1000字程度の文章について、概要や筆者の考えなどの理解を問う問題です。小問が4問あります。

パターン 1 筆者の考えを読みとる

♪ POINT

筆者の意見とその根拠を明確にとらえます。接続詞に注意しながら段落間の関係を読み取ったり、指示詞の内容を正確にとらえたりすることが大切です。

例題

次の文章を読んで、後の問いに対する答えとして最も適当なものを1～4から1つ選びなさい。

　人間はいつからこんなに夜行性をつよめたのであろうか。もちろん昼間働くのが常態であるが、こと、知的活動になると、夜ときめてしまう。灯火親しむの候、などということばは電灯などのない昔から、読書は夜するものという考えがあったことを示している。

　そして、いつのまにか、①夜の信仰とも言うべきものをつくりあげてしまった。現代の若ものも当然のように宵っ張りの朝寝坊になって、勉強は夜でなくてはできないものと、思いこんでいる。朝早く起きるなどと言えば、老人くさい、と笑われる始末である。

　夜考えることと、朝考えることとは、同じ人間でも、かなり違っているのではないか、ということを何年か前に気づいた。朝の考えは夜の考えとはなぜ同じではないのか。考えてみると、おもしろい問題である。

　夜、寝る前に書いた手紙を、朝、目をさましてから、読み返してみると、どうしてこんなことを書いてしまったのか、とわれながら不思議である。

　外国で出た手紙の心得をかいた本に、感情的になって書いた手紙は、かならず、一晩そのままにしておいて、翌日、読みかえしてから投函せよ。一晩たってみると、そのまま出すのがためらわれることがすくなくない。そういう注意があった。現実的な知恵で

ある。

　それに、どうも朝の頭の方が。夜の頭よりも、優秀であるらしい。夜、さんざんてこずって、うまく行かなかった仕事があるとする。これはダメ。明日の朝にしよう、と思う。心のどこかで、「きょうできることをあすに延ばすな」ということわざが頭をかすめる。それをおさえて寝てしまう。

　朝になって、もう一度、挑んでみる。すると、どうだ。ゆうべはあんなに手におえなかった問題が、するすると片づいてしまうではないか。昨夜のことがまるで夢のようである。

　はじめのうちは、そういうことがあっても、偶然だと思っていた。夜の信者だったからであろう。やがて、②これはおかしいと考えるようになった。偶然にしては同じことがあまりにも多すぎる。おそまきながら、朝と夜とでは、同じ人間でありながら、人が違うことを思い知らされたというわけである。

　"③朝飯前"ということばがある。手もとの辞書をひくと、「朝の食事をする前。『そんな事は朝飯前だ』〔＝朝食前にも出来るほど、簡単だ〕」（『新明解国語辞典』）とある。いまの用法はこの通りだろうが、もとはすこし違っていたのではないか、と疑い出した。

　簡単なことだから、朝飯前なのではなく、朝の食事の前にするために、本来は、決して簡単でもなんでもないことが、さっさとできてしまい、いかにも簡単そうに見える。知らない人間が、それを朝飯前と呼んだというのではあるまいか。どんなことでも、朝飯前にすれば、さっさと片付く。朝の頭はそれだけ能率がいい。

（外山滋比古『思考の整理学』ちくま文庫による）

1 ①夜の信仰があるためにしてしまうことに、当てはまらないものはどれか。

1　勉強は夜でないとできないと思い込むこと
2　朝早く起きる人を老人くさいと笑うこと
3　「きょうできることをあすに延ばすな」と思うこと
4　夜寝る前に書いた手紙を朝読み返してみること

2 ②これは何を指しているか。

1　現代の若ものが宵っ張りの朝寝坊になっていること
2　電灯がない昔から、読書は夜するものという考えがあったこと
3　夜には手に負えなかった問題が、朝になると簡単に片づくこと
4　仕事が終わらなかったら寝ないで働くこと

3 筆者は③朝飯前のもとの意味はどういうものだと言っているか。

1　朝食前に必ず何かをするということ
2　朝食前にするから、簡単にできるということ
3　朝食前にできるほど、簡単だということ
4　朝食前にできるような簡単なことだけするということ

4 文の内容に合っているものはどれか。

1　「朝飯前」という言葉の使い方は何回も変わっている。
2　筆者は、知的活動をするのは夜のほうがよいと思っている。
3　筆者は最初から夜の信者ではなかった。
4　筆者は、朝の頭は夜の頭より能率がいいと考えている。

③ 内容理解（長文）に挑戦！

解き方

1. **【本文の内容理解を問う問題】**
   問われているのは「当てはまらないもの」なので、注意が必要。3は「今日できることは、寝ないでも今日中にやったほうがいい」という意味なので、「夜の信仰」に入る。4は「読み返してみると…不思議である」とあり、夜の信仰とは逆の行動である。答えは**4**。

2. **【指示詞を問う問題】**
   ②これは、その前の行の「そういうこと」と同じ内容で、その前の段落の内容を指している。答えは**3**。

3. **【筆者の考えを問う問題】**
   今の用法ではなく、「もとの意味」が問われているので、注意が必要。「簡単なことだから、朝飯前」なのではなく、朝の食事の前にするために、「本来は、決して簡単でもなんでもないことが、さっさとできてしま」う。よって、答えは**2**。

4. **【内容の一致を問う問題】**
   何回も変わっているとは書いていないので、1は×。「はじめのうちは…夜の信者だったからであろう」とあるので、3は×。答えは**4**。

ことばと表現

- □ **夜行性**：主に夜に活動する性質。
- □ **常態**：いつもの状態。
- □ **灯火**：明かり。
- □ **～の候**：昔の手紙の
- □ **心得**：ある事柄について理解していること。
- □ **投函(する)**：（手紙などを）ポストに出すこと。
- □ **さんざん**：大変、とても、ひどく。
- □ **てこずる**：扱いに困る、手間がかかる。
- □ **かすめる**：もう少しで触れそうなところを通り過ぎる。

パターン 2 登場人物の気持ちに沿って読む

POINT

小説やエッセイには必ず登場人物がいて、その行動や感情を描きながら話が進んでいきます。主な人物の心の動きを中心に、人間関係や起こった出来事、状況の変化などを読みとっていきましょう。

例題

次の文章を読んで、後の問いに対する答えとして最も適当なものを1～4から1つ選びなさい。

　いくあてもなく、最寄り駅まで歩いた。暑い日だった。駅前に翻る「氷」ののれんが目に入ったとき、希和子はひどくのどが渇いていることに気づいて、吸いこまれるように駅前の食堂に入った。客はおらず、テーブルには割烹着を着た老女が座っていた。老女は頬杖をついて、天井に設置されたテレビに見入っていた。冷房のきいた薄暗い食堂の、壁にずらりと貼られた品書きを希和子は読んでいった。
　氷いちご、氷メロン、宇治金時。ラーメン、チャーシューメン、餃子、チャーハン。コーラ、サイダー、コーラフロート。
　のどを潤すつもりだったのに、文字を見ていたら腹が鳴った。注文をとりにきた老女に、気がつけばラーメンとコーラを頼んでいた。時間が止まったような店だった。そこに座っていると、自分がまだ二十代であるかのように思えた。
　湯気をあげて運ばれてきたラーメンを一口食べ、それから希和子は丼に顔をくっつけるようにして夢中で麺をすすった。塩辛さも脂っぽさもなつかしかった。食べやめることができず、汁まで飲み干した。丼の底にこびりついた細い麺を箸でつかみ、そうしていることに気がついて希和子は①愕然とした。おいしいと、自然に湧き上がってきた感想に愕然とした。
　もはや人生は自分のもののように思えなかった。女子大を出て就職をして、多くの女たちのように結婚して会社を辞めて、幸福な妻、幸福な母親になっていくはずだった。それが気がつけば犯罪者として全国に知れわたっている。
　それでもよかったのだ。薫がいさえすれば。その薫ももういない。永遠にいない。②外の世界に出されたからといって、何を目指してどこへ向かえばいいのか、希和子はまったくわからなかった。

> それなのに、そんな状況にいるというのに、みすぼらしい食堂で出されたラーメン一杯をおいしいと、まだ自分は思うのだ。麺の切れ端までのみこもうとしているのだ。そのことに希和子は打ちのめされた。
>
> まだ生きていけるかもしれない。いや、まだ生きるしかないんだろう。
>
> テレビの音が響きわたる暗い食堂の片隅で、希和子はそんなふうに思った。
>
> しばらくは東京で暮らした。あるとき見知らぬ人が話を聞きたいと訪ねてきて、希和子はあわてて逃げ出した。東京から埼玉へ、茨城へ、仙台へ、金沢へ、見知らぬ人の訪問を受けるたび、事件の加害者らしいと噂がささやかれるたび、希和子はあわてて逃げ出した。もう守るものはなんにもないのに、薫を抱え日野のアパートを出たときから、ずっと逃げ続けているような気がした。
>
> （角田光代『八日目の蝉』中公文庫による）

1 希和子が駅前の食堂に入った理由は何か。

1 とても暑くて疲れていたから　　2 何か飲みたくなったから
3 おなかがすいていたから　　　　4 その店がすいていたから

2 ①愕然としたのは、どうしてか。

1 知らない店なのに、ラーメンの味がなつかしく感じられたから
2 幸せになるはずだったのに、自分は犯罪者になっていたから
3 薫さえいれば何もいらないのに、薫を永遠に失ったから
4 絶望的な状況なのに、まだおいしさを感じることができたから

3 ②外の世界に出されたとあるが、どういう意味だと考えられるか。

1 食堂から出た　　　　　　2 大学を卒業した
3 結婚して会社をやめた　　4 刑務所から出た

4 希和子の現在の気持ちに最も近いものはどれか。

1 自分にはもう何もないのだから、生きている意味がない。
2 薫を失って、もう生きていくことができない。
3 何を目指せばいいのかわからないが、生きていくしかない。
4 守るものがなくなっても、生きているのが不思議だ。

解き方

1. 直前に「ひどくのどが渇いていることに気づいて」とあるので、答えは **2**。空腹に気がついたのは店に入ってからなので、**3** は×。

2. 希和子が愕然としたのは、ラーメンを食べている時の自分の気持ちに対してなので、気持ちを説明しているものを選ぶ。**2** と **3** は食べる前から変わらない「絶望的な状況」の説明なので×。「それなのに…おいしいと、まだ自分は思うのだ」とあるので、答えは **4**。

3. 直後に「何を目指して…まったくわからなかった。」とあり、深刻な状況であることがわかる。一つ前の段落に「犯罪者として全国に知れわたっている」、最後の段落に「事件の加害者らしいと噂がささやかれるたび…」とあることから、答えは **4**。

4. 「まだ生きていけるかもしれない。いや、まだ生きるしかないんだろう」とあるので、答えは **3**。

ことばと表現

- **あて**：目的地。
- **翻る**：旗などが風を受けて動く。
- **のれん**：店の入口に掲げられる店の名前などが書かれた布。
- **割烹着**：料理など家事をするときに服の上に着るもの。
- **頬杖をつく**：to put one's chin in their hands ／托腮／ Chống cằm
- **見入る**：集中してじっと見る。
- **のどを潤す**：(何かを飲んで) のどの渇きをとる。
- **すする**：sip ／啜 (出声喝) ／ Húp
- **愕然とする**：非常に驚く。
- **打ちのめされる**：(精神的に) 立ち上がれなくなるほどのショックや苦痛を受ける。

EXERCISE

⇒答えは p.191

次の文章を読んで、後の問いに対する答えとして最も適当なものを1〜4から1つ選びなさい。

　論文であれ報告であれ「お知らせ」であれ、また一枚のパンフレットであれ一冊の単行本であれ、少なくとも他人に読んでもらうことを目的とした文章を書くのであれば、まずその内容がなければならない。もっとも随筆というような分野では、別に内容らしいものもなくてただ気分のままに書かれていることもあるが、それでも魅力的な例があるのは、それが文体そのものを「内容」としているからなのであろう。純粋に音そのものだけを楽しむ音楽があるのと同じことである。しかしここでは①そういった分野を一応例外とし、なんらかの訴える内容のある場合を対象としよう。では、その内容が最も理想的に読者に伝わるためにはどうすればよいか。

　全く単純な第一歩は、少なくとも終わりまで読んでくれるものを書くことだ。最後までとにかく読まれなければ話にならない。途中で放りだされてはとうてい②目的を達せられない。文章をわかりやすくするための技術をこれまで論じてきたのも、ひとつにはこのためだともいえよう。古典のように評価が確定したものや職業上必要なものなら、面白くなくても我慢して読まれることはある。バルザックの小説などは、冒頭にたいくつな部分が長くつづくことが多いけれど、それをはるかに超えて面白い内容があとにひかえていて、冒頭のたいくつ部分はその布石になっている。しかも読者は、多くの場合バルザックが面白いことを知っていて読みはじめる。メルヴィルの『白鯨』など、冒頭で鯨に関する文献が延々と並ぶし、前半に鯨学や捕鯨学がいっぱい出てくる。それでも多くの読者は、これがアメリカ文学の古典だと宣伝されているので、我慢して読みはじめる。また「わかりにくいことは高級なのだ」という迷言にとりつかれやすい学生たちは、へたくそで絶望的な日本語で書かれた哲学書でも神妙に読んでくれる。

　しかし、そういった③読者との「甘え」の関係に期待できない私たちは、素手で立ち向かわなければならない。読んでいただくためには、全力を傾注して読者を文章の中に引きずりこむ必要がある。これは役者の世界などでも共通であろう。いいかげんな演技だと、たちまち観客が逃げてしまう。（中略）

　読み手を早く自分のペースに引きずりこむには、序論みたいなものをクドクド書いていてはだめだ。論文であればなるべく早く問題の核心へ、紀行文であればなるべく早く現地へはいる方がよい。読者にあらかじめ読ませる必要のあるものは、できるだけ少なく、必要最小限度内とする。

（本多勝一『日本語の作文技術』朝日文庫による）

[1] ①そういった分野とは何を指しているか。

1　なんらかの訴える内容がある分野
2　文体そのものを内容としている分野
3　他人に読んでもらうことを目的とした分野
4　純粋に音そのものを楽しむ分野

[2] ②目的とは何か。

1　読者が文を最後まで読むこと
2　文に訴えるべき内容があること
3　文章をわかりやすく書くこと
4　文の内容が読者に伝わること

[3] ③読者との「甘え」の関係に当てはまらないものはどれか。

1　読者が作者によって文章に引きずりこまれること
2　読者が作者の作品が面白いことを知っていること
3　読者が文章のわかりにくさを高級だと感じていること
4　読者が職業上、その本を読む必要があること

[4] この文章の内容に合っているものはどれか。

1　文章道と演劇の世界に共通点はない。
2　古典文学は我慢して読んでいるとおもしろくなる。
3　文章の書き出しの部分は短いほうがよい。
4　哲学書は難しい言葉で書いたほうがよい。

第2章 実戦練習

UNIT 4 統合理解に挑戦！

❓ どんな問題？

　統合理解は複数の文章（合計600字程度）を比較しながら読み、それぞれ内容を統合して理解する問題です。同じテーマに関して異なる立場・視点から書かれた文章について、共通点・相違点を理解できるかなどを問う問題です。出題数は1題で、設問は3問です。

⚙ 解き方

①最初の問題指示文を読む。
　↓
②問いと選択肢を読む。
　↓
③本文を読む（設問の選択肢と本文の照合作業をしながら読みます）
　↓
④選択肢を選ぶ

　　＊照合（する）：compare／核対／Kiểm tra, xác nhận

パターン 1　2つの文章から成る

> 🐦 POINT
>
> 　「統合理解」を解くときは、必ず本文を読む前に設問（問題と問1～3）に目を通し、二つの文章に共通するテーマや比較のポイントを把握しておきましょう。

例題

次のＡとＢはそれぞれ別の投書である。後の問いに対する答えとして最もよいものを、１・２・３・４から一つ選びなさい。

A

　先日、電車に乗っていた時、目の前に年輩の女性が立たれたので、私は「どうぞ」と言って席を立ち、女性に座ってもらおうとした。すると、その女性ははっとしたような顔で私を見たかと思うと、何も言わずに隣の車両へ立ち去ってしまった。私は若者として当然のことをしただけなのに、まるで悪いことをしてしまったかのようないたたまれない気持ちになった。次の駅で何も事情を知らない人がその席に座るまで、その場に立っていた人は誰もその席に座ることもできず、気まずい雰囲気だった。なぜ、あの女性は黙って行ってしまったのだろうか。

　私たち若者はお年寄りに席を譲らないと批判されがちだが、こんな経験をしたら、誰だって、もうお年寄りに席を譲るのはやめようと思ってしまうのではないだろうか。譲るほうにばかり礼儀を求めず、譲られたほうも礼儀正しく振る舞ってほしいものだ。

（東京都在住　Ｋ・Ｔ）

B

　電車でお年寄りに席を譲らない若者が増えているといった声を聞く一方で、譲ったのに断られた、年寄り扱いするなと怒られた、などという経験をしたことがある若者も多いと聞く。私は立っているのが好きなので、そのような経験をしたことはないし、譲られた経験もない。しかし、席を譲られてもおかしくない年齢に近づいた今、こう思うようになった。もし、席を譲られたら、特にそれが初めての時は親切をうれしく思うよりもまず、「お年寄り」と宣告されたような気がして、ショックを受けるだろう、と。

　それで、最近ではどうやったら席を譲られないですむか、いろいろ考えている。まず座席の前やすぐ横には立たない。そして、座っている人のほうを見ない。これはそれなりの効果があるようで、まだ一度も席を譲られることなく、今日に至っている。席を譲られたくない皆さん、一度試してみてください。

（愛知県在住　Ｏ・Ｓ）

④ 統合理解に挑戦！

1　AとBの両方が触れている内容はどれか。

1　お年寄りに席を譲ろうとする若者がいること
2　礼儀正しくないお年寄りが増えていること
3　礼儀正しくない若者を批判する気持ち
4　若者の親切を受け入れられないお年寄りの気持ち

2　お年寄りが譲られた席に座らないことについて、Aの筆者とBの筆者はどのような立場をとっているか。

1　AもBも、ともに批判的である。
2　Aは批判的だが、Bは理解を示している。
3　Aは消極的に肯定しているが、Bは批判的である。
4　AもBも、ともに明確にしていない。

3　AとBがそれぞれ最も主張したいことは何か。

1　Aは席を譲られる側の問題点について、Bは譲られないようにする方法について述べている。
2　Aは席を譲る側の気持ちについて、Bは席を譲られた側の気持ちについて述べている。
3　Aは若者が席を譲らないという態度を、Bは席を譲られたお年寄りの心理について述べている。
4　Aは席を譲るときの心理について、Bは今後お年寄りに実践してほしい行動について述べている。

解き方

1　選択肢に書かれてあることがA、Bにないか、チェックする。2・3はA・Bどちらにも触れられていない。4はAが触れていない。答えは1。

2　選択肢と合う内容（立場が明確にわかる部分）がA・Bに出てきたら、チェックする。Bは批判的ではないので、1・3は不正解。Aは明らかに批判的なので、4は違う。答えは2。

3　A・Bの主張が出てきたら、線を引いておく。この投書では、それぞれの最後の段落に主張が書かれている。答えは1。

ことばと表現

□ 車両：vehicle, car ／车辆／ Khoang tàu

EXERCISE 1 ✏️

⇒答えは p.191

次のAとBは同じ時期に同じホテルを利用した客がホテル予約サイトに投稿した文章である。後の問いに対する答えとして最もよいものを、1・2・3・4から一つ選びなさい。

A

　ここは最寄りのT駅から徒歩10分と非常に立地がよいので、T市出張の際には必ず利用している。しかも、ホテルまでは地下街を通って行けるので、雨でも濡れることがない。ホテル周辺には飲食店やコンビニもあり、飲み食いにも困らない。

　部屋はWi-Fi完備で、携帯端末をすぐ使うことができ、仕事がはかどった。ただ、バスルームの排水が悪かったのに加え、禁煙の部屋を頼んでおいたにもかかわらず、たばこの臭いが残っており、その点、不満が残った。

　今回は3年ぶりの利用だったが、これまでに比べ、仕事ではなく旅行で利用する客が増えたようで、全体的に騒がしく落ち着かない雰囲気だった。朝食はメニューが豊富で味もよいのだが、ツアー客で非常に混み合っており、ゆっくり食べることができず残念だった。

B

　急用で高齢の両親と3名で利用しました。ホテルまでは駅から徒歩圏内とのことでしたが、地下街で迷ってしまい、結局タクシーを使うことになりました。T駅周辺の地下街は広く複雑なので、慣れていないと迷子になると思います。事前にもう少し調べておけばよかったと後悔しました。

　ホテルの部屋はよくあるビジネスホテルといった感じですが、3人分すべて同じベッドが用意されており、どのベッドも広く快適でした。バスルームは少々狭かったですが、清潔感はありました。また、滞在中とても寒い日がありましたが、外出の際、フロントの方から貼るカイロのサービスがあったのもよかったです。朝食メニューは和洋2種類用意されており、毎日少しずつ違う料理が出て、連泊した私たちにとってはよかったです。

④ 統合理解に挑戦！

1　AとBの両方で触れられているのはどれか。

1　ホテル周辺の店
2　外出時のサービス
3　宿泊客
4　食事

2　ホテルの場所について、A・Bはどのような意見を持っているか。

1　A・Bともに明確に述べていない。
2　Aは好意的だが、Bは明確に述べていない。
3　Aは批判的だが、Bはほぼ好意的。
4　Aは好意的だが、Bは好意的ではない。

3　AとBのホテルそのものに対する評価を比較すると、どのようになるか。

1　AはBに比べて、かなり高く評価しているが、満足度はあまり高くない。
2　BはAに比べて、評価が高く、不満が少ない。
3　AもBもほぼ満足しており、同等の評価をしている。
4　BはAほど厳しい評価をしていないが、あまり満足していない。

パターン 2　3つの文章から成る

POINT

基本的な解き方は2つの文章から成るパターンと同じですが、文章の数が増える分、下線を入れるなどのチェックをしっかりやって、ポイントをより明確にして読みましょう。そうすることで、後で読み直さなくても問題が解けるようになります。また、必ず設問と選択肢に目を通してから文章を読むようにしましょう。

例題

次のA〜Cはそれぞれ別の投書である。後の問いに対する答えとして最もよいものを、1・2・3・4から一つ選びなさい。

A

　女性にとって快適なトイレの設置は、女性の人権問題と密接な関わりを持っている。開発途上国では、家の中にトイレがなく、外で用を足すしかないということが多い。そのような地域では女性は人目を避けて、人の来ない場所を選んで用を足すが、人目が届かない場所では、犯罪に遭遇する可能性も高くなりがちである。女性にとって安全で快適なトイレがどの程度普及しているかは、その国の女性の地位を測る物差しの一つとなっている。

B

　現在、日本の住宅で新たに設置されるトイレは圧倒的に洋式である。にもかかわらず、デパートや映画館などの商業ビルが改装されても和式トイレがなくならないのはなぜだろうか。和式トイレには膝に負担がかかる、床が汚れやすいなどの問題点もあるが、設置に必要な面積が洋式より小さく、形状も洋式よりシンプルな分、掃除しやすいという利点もある。また、洋式にせよ和式にせよ、トイレを一種類にしてしまうと、必ずなぜ一種類なのかというクレームが来る。このような事情がある以上、今後も公衆トイレから和式が完全になくなることはないと思われる。

C

　公衆トイレの和式は、床が汚れやすく、しゃがむことが困難な人にとっては全く使いづらい。また、家で洋式トイレしか使ったことのない子どもなどは、和式の使用方法がわからず戸惑う。和式と洋式の混在する所では、和式が空いていても使用されず、洋式トイレが空くのを待つ人が長い列を作ることも多い。すべてが洋式になれば、女性のトイレの混雑ももう少し緩和されるのではないだろうか。

④ 統合理解に挑戦！

1 トイレと女性の人権にはどのような関係があるか。

1 男女兼用のトイレを減らせば、女性が犯罪の被害に遭うリスクが減る。
2 トイレが環境のよい場所に作られれば、女性が犯罪の被害に遭うリスクが減る。
3 トイレが洋式になれば、女性のトイレでの待ち時間が減り、待ち時間の男女均等化を図れる。
4 トイレが和式になれば、長時間のトイレ掃除から女性が解放される。

2 3つの文章すべてで触れられていることはどれか。

1 現在のさまざまなトイレに関連した問題点。
2 しゃがんで使うタイプのトイレについてのよい面と悪い面。
3 現在増えているトイレのタイプについて。
4 トイレを待つ人の行列について。

3 A～Cではそれぞれ何が述べられているか。

1 Aは安全なトイレの普及の必要性、Bは和式トイレがなくならない理由、Cは和式をなくしてほしい理由。
2 Aは女性用トイレの少なさ、Bは公衆トイレの特徴、Cは公衆トイレに対する要望。
3 Aは安全なトイレと女性の人権の関連性、Bは和式がなくならない理由、Cは洋式トイレの良さ。
4 Aはトイレの必要性、Bは和式トイレの必要性、Cは洋式トイレの必要性。

解き方

1 女性の人権問題に触れているのはA。Aに書かれている内容と合うものを選ぶ。答えは**2**。

2 2・3はBのみ。4はCのみ。答えは**1**。Aはトイレがないことの問題点、Bは和式の問題点と一種類しかないことの問題点、Cは和式が存在することの問題点をそれぞれ述べている。

3 Aはトイレの数についての話ではないので、**2**は不正解。Cは洋式トイレの良さについて述べていないので、**3**は不正解。Aは単なるトイレの必要性ではないので、**4**は不正解。答えは**1**。

ことばと表現

- **密接（な）**：related／緊密／Mật thiết
- **途上国**：developing country／发展中国家／Nước đang phát triển
- **用を足す**：トイレに行く。
- **人目を避ける**：人に見られないようにする。
- **遭遇（する）**：encounter／遭遇／Gặp (tai nạn, gặp nạn), gặp phải
- **緩和（する）**：厳しさや激しさの程度を弱めること。

EXERCISE 2

⇒答えは p.192

次のA～Cはそれぞれ別の投書である。後の問いに対する答えとして最もよいものを、1・2・3・4から一つ選びなさい。

A

　東京オリンピックの開催が決まってからというもの、英会話の学習に熱心に取り組む人が増えているように思う。そして、そのレッスンは教室の中だけにとどまらず、町のカフェにまで広がってきている。ただ、熱心に勉強するのはよいのだが、周りへの配慮に欠ける人も中にはいる。せっかくリラックスしようと入ったカフェで外国語の発音練習などを延々と聞かされたのではたまらない。レッスンは公共の場ではなく、やはり教室など専用の場所で行ってもらいたいものだ。

東京都在住　A．T

B

　英会話の勉強を始めて5年になります。最近はよくカフェでレッスンを受けています。ところが先日、いつものようにカフェへ行くと、周りのお客さんの迷惑になるので、レッスンは禁止になったと言われました。教室だといかにも勉強という感じで緊張しますが、カフェだと適度なざわつきもあり、リラックスしてレッスンが受けられます。大声を出すのはマナー違反だと思いますが、しゃべる言葉が外国語になっただけで迷惑と言われるのは心外です。カフェでのレッスンは締め出さず、受け入れてもらいたいです。

神奈川県在住　K．O

C

　日本では外国人観光客が増え、英語を話せる人の需要が高まっている。最近は英会話のレッスンがカフェでも行われているが、結構なことだと思う。たまに熱心さのあまり声が大きくなる人もいるが、大きな声で話している人はほかにもいる。日本語であれ外国語であれ、その場所にそぐわない大きな声を出せば迷惑になる。英会話のレッスンに限った話ではない。最近、近所のカフェがレッスン禁止になったと聞いた。せっかく勉強している人たちをもう少し温かい目で見守ることはできなかったのだろうか。

青森県在住　R．E

④ 統合理解に挑戦！

1 A〜Cすべての投稿者が触れている内容はどれか。

1 カフェで英会話のレッスンを受けたり、レッスンを実際に見たりした経験。
2 カフェで英会話のレッスンを行った経験。
3 カフェでの英会話レッスンが禁止になった経験。
4 カフェでの英会話レッスンを迷惑に感じた経験。

2 カフェでの英会話レッスンについて、A〜Cはどのような立場をとっているか。

1 Aは批判的、Bは肯定的、Cは明らかにしていない。
2 AとBは批判的だが、Cは肯定的。
3 Aは批判的だが、BとCは肯定的。
4 AとCは批判的だが、Bは肯定的。

3 A〜Cが共通して述べていることは何か。

1 公共の場であるカフェでレッスンを受けることには無理がある。
2 周囲に配慮を示すことが大切だ。。
3 日本人はもっと英語の勉強を熱心にしたほうがよい。
4 日本語でも英語でも、大きな声はマナー違反になる。

UNIT 5 主張理解（長文）に挑戦！

第2章 実戦練習

❓ どんな問題？

「主張理解」は、実際の試験では問題12として出題されます。新聞の社説や評論など、抽象的で論理的な1000字程度の文章について、筆者の主張や意見の理解を問う問題です。設問は4問あり、1問に4つの選択肢があります。「主張理解」に出題される文章は、基本的に［説明］→［意見］→［説明］→［意見］の繰り返しで構成されていて、「意見」の中に最も重要な「筆者の主張」が含まれています。

パターン 1 筆者の考えを読みとる

🎵 POINT

筆者の意見とその根拠を明確にとらえます。接続詞に注意しながら段落間の関係を読み取ったり、指示詞の内容を正確にとらえたりすることが大切です。

例題

次の文章を読んで、後の問いに対して最もよい答えを1・2・3・4から一つ選びなさい。

　この夏も熱中症で救急搬送される人が相次いでいる。病気や事故など万が一のとき救急車は心強い存在だ。しかし救急車の出動は限界に近づいているといわれる。2014年の救急出動は約598万件にのぼる。この四半世紀で2倍に増えた。全国で約5秒に1度、救急車が呼ばれていることになる。このまま増え続ければ、①救急が機能しなくなる恐れもある。出動の抑制や財政負担の軽減のため、有料化を求める声も政府内には出ているほどだ。出動増加の大きな原因は人口の高齢化とみられる。13年に救急搬送された患者のうち65歳以上は半数を超えた。また、全搬送者のうち半数は入院の必要がなかった「軽症」の人だったのも特徴だ。

　②こうした状況から関係者は「身近に頼れる人がいない一人暮らしの高齢者が増え、具合が悪くなると、どうしてよいかわからず救急車を呼ぶ」といったケースが広がっている、と分析している。もちろん、熱中症など命に関わる場合もある。急に具合が悪くなって119番にダイヤルすることをためらうべきではない。ただ、高齢者の周りに人がいて、

⑤ 主張理解（長文）に挑戦！

　その人が適切に対処してくれれば、救急車を呼ばずに済むケースもあるかもしれない。国は、独居の高齢者が医療や介護が必要な状態になったとしても、できる限り入院せず自宅など住み慣れた地域で暮らし続けることができる体制を整える、としている。医療職や介護職が連携し、これに地域住民のボランティアなども加えて高齢者を支え見守る「地域包括ケア」という考え方だ。簡単にできる体制ではないが、整っていけば③高齢者が救急車に頼る頻度も減るのではないだろうか。この体制は医療費や介護費を抑えることも狙いだ。各自治体で真剣に取り組んでもらいたい。タクシー代わりの救急車利用があるとも指摘される。医療資源には限りがあり、湯水のように使っていいものではないことも改めて確認しておきたい。

（日本経済新聞 2015年8月2日付朝刊による）

1　①救急が機能しなくなる恐れもあるとあるが、なぜ、機能しなくなるのか。

1　救急出動が、この四半世紀で2倍に増えたから
2　タクシー代わりに救急車を利用する人が増えたから
3　老人が救急車を利用することが多くなったから
4　自宅で暮らし続ける老人が増えたから

2　②こうした状況とは、どのような状況か。

1　救急車の出動を有料化にしたほうがいいという状況
2　救急出動が増え続けている状況
3　人口が高齢化している状況
4　一人暮らしの高齢者が増えている状況

3　③高齢者が救急車に頼る頻度も減るためには、どうすればいいと言っているのか。

1　医療職や介護職が連携し、地域住民のボランティアも加えて高齢者を支え見守る体制を整える
2　119番にダイヤルすることをためらわずに出来るように、常に周りに人がいて、代わりに電話がかけられるようにする
3　高齢者がタクシー代わりに救急車を使わないように、タクシーの台数を増やし、いつでも呼べるようにする
4　高齢者を出来る限り入院させず、自宅など住み慣れた地域で暮し続ける体制を整える

[4] この文章で筆者が言いたいことは何か。

1 最近は、軽症にもかかわらずタクシー代わりに救急車を利用する人が増えたことで、モラルの低下が嘆かわしい
2 必要ないのに救急車を使う人が増えたことで、本当に必要な人が利用できなくなる恐れがあることが心配だ
3 救急車の出動抑制や財政負担軽減のために、特に高齢者の利用に関して有料化にすればいいのではないか
4 「地域の包括ケア」を整えることで、独居の不安から救急車に頼る高齢者を減らしていけたらいいのではないか

解き方

どのパターンの問題かをチェックする。

4つある設問のうち、[1]～[3]は「パート1第1章①～⑥」、[4]は「筆者の主張・意見・言いたいこと」を問う問題で、「パート1第1章⑦⑧」「同第2章A」を再度復習するとよい。

[1] 理由を問う問題（☞パート1第1章⑥）。「救急が機能しなくなる」とは、どういう意味か。「救急車の出動は限界に近づいている」という最初の文に着目。それは「出動回数が増えた」からである。なぜ増えたかについては、まだここでは問題としていない。答えは1。

[2] 指示詞の問題（☞パート1第1章①）。指示詞の前を見る。救急搬送された人の半数以上が65歳以上、半数が軽症という状況だが、選択肢には「軽症」の話はない。そこでその前を見ると「出動増加の大きな原因は人口の高齢化」とある。「一人暮らしの高齢者が増えている」は、「こういう状況」から筆者が分析したこと。答えは3。

[3] 事実関係の問題（☞パート1第1章②）。「整っていけば」の主語は何か。「体制」である。どんな体制か。選択肢の1と4が体制についての答えだが、4は「住み慣れた地域で暮らし続ける体制」では不十分。「暮し続けることができる体制」に対応するのは「地域包括ケア」の体制である。答えは1。

[4] 筆者の言いたいことを問う問題（☞パート1第1章⑦⑧）。選択肢1と3は本文では述べられていない。2は正論だが、「本当に必要な人が利用できなくなる」とは書かれていない。答えは4。

ことばと表現

- □ **熱中症**：高温無風の環境や運動などが引き起こす体の適応障害。
- □ **搬送(する)**：荷物や人を運んで送ること。
- □ **相次ぐ**：物事が次から次へと起こる。
- □ **心強い**：頼れるものがあり安心できる。
- □ **出動(する)**：任務のため、現地に向かって出ること。
- □ **包括(する)**：cover comprehensively ／包括／ Bao quát
- □ **湯水のように使う**：お金や資源など、たくさんあるものを何も考えず、好きなだけ使う。

⑤主張理解（長文）に挑戦！

パターン 1 設問のパターン：はじめの3問は細かく読んで解く

POINT

設問4問のうち、はじめの3問はさまざまな出題がされますが、ほとんどが問われている個所（下線部）の前後に答えやそのヒントがあります。そこを中心に注意深く読みましょう。

パターン 2 設問のパターン：第4問は全体を読んで解く

POINT

設問4は「筆者の意見・主張」を問う問題が出題されます。問題例は次のようなもの。

- この文章で筆者が言いたいことは次のうちどれか。
- 次のうち、筆者の考えと合っているものを選べ。
- 筆者の意見として正しいのはどれか。

ここで注意すべきは、新聞記事などを除き、多くの問題文が元々の文章のほんの一部を抜粋したものである点。そのため、本文中にはっきりとした主張がないこともあります。そのような場合でも、全体を要約しまとめてみることで、答えが見えてくる場合があります。

例題

次の文章を読んで、後の問いに対して最もよい答えを1・2・3・4から一つ選びなさい。

（前略）
　しかし、私たちの日常生活では、オレンジとバナナのようなモノ同士の交換を行うことは稀で、欲しいものは貨幣との交換で入手します。コンビニやスーパー、デパートに行けば、定められた価格の分だけ貨幣を支払うことによって多種多様なモノが購入できます。このような貨幣との交換は、どのように考えればよいでしょうか。
　一つのモノを購入するときの私たちの心理を考えてみましょう。たとえば、AさんがTシャツを何枚か買いに店に行ったとしましょう。一枚1000円します。Aさんは買うか買わないか決めるとき、1000円で他に何ができるか考えます。1000円あれば、読みたい本二冊を手に入れられます。あるいは、本は一冊にしておいて、ハンバーガーセットを食べることもできます。このように、1000円をできるだけ有効に使って入手できる

他のモノとTシャツ一枚とを比較して、やはりTシャツの方が必要だと思えば、Tシャツを購入することに決めるでしょう。①この場合、AさんはTシャツがもっと高くても購入した可能性があります。最大で1500円分の他のモノと比較してもTシャツの方を選ぶとき、AさんのTシャツ一枚への主観的な「許容支払額」は1500円であるといいます。これは、二つのモノの交換のときの「②許容交換比率」と本質的に同じ概念です。許容支払額とは、その金額をできるだけ有効に使って購入できる他のモノ・サービスとの許容交換比率を表現するものに他なりません。

さて、Tシャツ一枚の購入を決めたAさんは、さらにもう一枚買うかどうか考えます。すでに一枚のTシャツがある状況では、二枚目の追加に対して一枚目ほどは他のモノを犠牲にしたくないと考えるのが普通です。つまり、二枚目のTシャツへの③許容支払額は減少します。それでも、許容支払額がTシャツの価格1000円を上回っている限り、Aさんは購入することを選好します。三枚目のTシャツに対する許容支払額が1000円で、四枚目に対しては800円であったとします。このとき、Aさんは四枚目に対しては800円分の他のモノしか犠牲にしたくないので、1000円を支払ってまで買おうとは思いません。したがって、Aさんは自分の許容支払額がTシャツの価格と一致する三枚目まで購入したところで買い物を終わりにします。

（蓼沼幸一『幸せのための経済学——効率と衡平の考え方』岩波ジュニア新書による）

|1| ①この場合とあるが、これは何を指しているのか。

1　1000円で他に何ができるかを考えた場合
2　1000円をできるだけ有効に使いたいと思った場合
3　Tシャツの他にほしいモノがない場合
4　他のモノとTシャツを比べて、Tシャツが必要な場合

|2| この場合の②許容交換比率とは何か。

1　読みたい本やハンバーガーセットと比べて、Tシャツのほうが必要だと思う比率
2　財布に今1500円しかなくてほしいTシャツを買うときの比率
3　ほしいTシャツを買う場合、この金額までなら支払ってもいいという比率
4　どんなに高くてもほしいモノを購入する可能性の比率

⑤ 主張理解（長文）に挑戦！

3 ③許容支払額は減少しますとあるが、なぜか。

1 すでに一枚Tシャツがあるので、それよりもっといいモノがほしいと思うから
2 許容支払額がそのTシャツの価格を上回っているから
3 二枚目のTシャツは1枚目ほど、他のモノを犠牲にしたくないから
4 一枚目に高いTシャツを購入してしまったから

4 この文を読んで、筆者の意見として正しいものは次のどれか。

1 我々が貨幣との交換でモノを手に入れる場合の心理としてすぐ購入するのではなく、多種多様なモノと比較しながら購入を決めたほうが間違いがない。
2 我々がモノを購入する場合、まず許容支払額がいくらであるかを考え、次にその金額を超えないようにしなければならない。
3 何かを購入する場合、普通、我々はこの金額までなら買うという額をあらかじめ設定しており、それを超えた場合は買わないものである。
4 モノ同士の交換ではなく、貨幣との交換でモノを入手する場合、許容支払額をできるだけ有効に使って、いいモノを手に入れようとする。

解き方

1 多くの場合、指示詞の前に答えがある。しかし、その答えは後半の「もっと高くても購入した可能性がある」に続くものでなければならない。①～④を当てはめて文の流れを確かめてみるとよい。答えは**4**。

2 問われているのは「許容交換比率」だが、「『許容支払額』と本質的に同じ概念」という部分に気付くのがポイント。答えは**3**。

3 「つまり」は言い換えの接続詞。何を言い換えているのか。「つまり」の前を見る。答えは**3**。

4 キーワードは「許容支払額」だが、必ずしも同じ言葉で表されているとは限らない。自分の言葉で言い換えてみるとよい。答えは**3**。

ことばと表現

□ **貨幣**：currency ／货币／ Tiền, tiền tệ
□ **許容（する）**：permission ／容许／ Cho phép, chấp nhận
□ **選好**：好んで選ぶこと。
□ **クドクド**：しつこく繰り返して言う様子。

EXERCISE 1

⇒答えは p.192

次の文章を読んで、後の問いに対して最もよい答えを1・2・3・4から一つ選びなさい。

　小学校の先生からうかがった話ですが、一年生の教室で授業を始めて、ひらがなを教えようとすると、そこでもう「はい」と手が挙がるそうです。「先生、ひらがなを学ぶとなんの役に立つんですか？」そういう質問がすでに出てくる。

　子どもは先生が「はい、ひらがなを学ぶと、これこれこういう『いいこと』があります」と商品の効能の説明をするのを待っているんです。①商品を買おうとしているわけですから、これは当然のふるまいです。店舗にものを買いに来たら、「すみません、これは何の役に立つんですか？　これを買うとどういう『いいこと』があるんですか？　ほかの競合商品と比べてどのあたりがアドバンテージですか？」という質問をする。それをしないでものを買う消費者がいたら、それは「愚かな消費者」である。「賢い消費者になりなさい」と生まれてからずっと教え込まれてきたんですから、「はい」と手を挙げるのは当然なんです。

　②この消費者マインドはもう教育の全段階に瀰漫しています。大学でも同じですよ。前にある大学で「先生、現代思想を勉強するとどんないいことがあるんですか？」って訊かれたことがあります。見ず知らずの学生のくせに、僕の方に100％説明責任があると思っているんですよ。自分は腕組みして「商品説明聴いてやるよ」という態度なんです。「お前の説明に納得がいったら現代思想勉強してやるけど、説明がつまんなかったり、オレにわかんない言葉とか使ってたら、勉強しないぜ」というわけです。ほんとに。そういうふうに教師に訊くのが学生にとっての権利だと思っている。③思わずぶん殴ってやろうかと思いましたけど（笑）。

　でも、怒りをこらえて、こんなふうに説明しました。「悪いけど、僕がこれから教える話は、君にはまだその価値が計量できないものなんだよ。④喩えて言えば、君には君自身の価値判断のモノサシがある。そして、そのモノサシを持ってきて、『先生、これから話すことの価値は何センチですか？』と訊いていた。でもさ、もし僕がこれからする話が、ものの重さや時間や光度にかかわることだったら、そのモノサシじゃ計れないでしょ。世の中には、度量衡そのものを新しく手に入れなければ、何の話かわからないこともあるんだよ」

(内田樹『最終講義』文春文庫による)

（注1）瀰漫：気分や風潮が広がること。
（注2）度量衡：長さと量と重さ。

⑤ 主張理解（長文）に挑戦！

1　①商品を買おうとしているとあるが、ここではどんな商品を買おうとしているのか。

　1　ひらがなを教える教師の労力
　2　ひらがなを学ぶときの教材
　3　ひらがなという知識
　4　ひらがなの効能の説明

2　②この消費者マインドとあるが、ここでは何を指しているのか。

　1　物を買う前に必ず質問すること
　2　賢い消費者になりなさいと教え込まれてきたこと
　3　説明してもらって納得できたものを買うということ
　4　その商品が他と比べてどんなにいいかを知りたいということ

3　③思わずぶん殴ってやろうかと思いましたとあるが、なぜそう思ったのか。

　1　見ず知らずの学生のくせに腕組みして訊いたから
　2　今から教える現代思想について質問したから
　3　現代思想の効能説明の説明責任は100％教師にあるという態度だったから
　4　「オレにわかるように説明しろ」という態度だったから

4　④喩えて言えばから始まる例え話で、筆者は何を伝えたいと思っているのか。

　1　君の価値判断のモノサシは、私のそれとは違う
　2　君の価値判断のモノサシで、すべてが計れるわけではない
　3　世の中には難しい話が多く、説明を聞かなければ何の話か分からない
　4　物の価値は何センチと訊かれても、モノサシでは計れないものもある

EXERCISE 2

⇒答えは p.192

次の文章を読んで、後の問いに対して最もよい答えを1・2・3・4から一つ選びなさい。

　匿名の女性から提供を受けた卵子を使い、2組の夫婦が体外受精卵を作った。無償ボランティア(注1)からの卵子提供をあっせんするNPO法人が公表したもので、今後、受精卵を子宮に入れ、出産につなげるという。

　NPO法人が対象としているのは染色体異常(注2)や早期閉経(注3)で卵子がないと診断された40歳未満の既婚女性だ。夫婦いずれかと血のつながった子どもがほしいと望む気持ちが理解できないわけではない。しかし、生まれてくる子どもにとって望ましいことなのか。①懸念がぬぐえない。

　卵子提供、代理出産など、第三者が関与する生殖補助医療については15年以上前から集中的な議論が繰り返されてきた。にもかかわらず、法整備に結びつかないまま既成事実が先行しているのが実情だ。今回は匿名の第三者から国内で提供された卵子を用いる初のケースだが、姉妹や知人からの提供、海外での提供を合わせるとかなりの数に上る。

　②こうした技術の利用で重要なことは、③人を生殖の手段として使わないようにすることだろう。女性の体に与える負担を思えば、卵子提供はそう簡単には認められない。

　さらに重要なのは、「生まれてくる子どもの幸福」を最優先に考えることだ。そのためには、少なくとも子どもが出自を知る権利を保障することが欠かせない。

　厚生労働省の部会が2003年にまとめた報告書は、匿名の第三者からの卵子提供を条件付きで認める一方、子どもが出自を知る権利を最大限保障するよう求めた。今回も、子どもが15歳になった時点で希望すれば提供者の氏名などを開示することで合意している(注4)という。

　しかし、卵子提供を受けたことを子どもにいつ、どう伝えるのか、心理的なケアを含めた支援体制はどうするのか、提供者の気が変わって情報提供を拒否されたらどうするのかといった課題は残されたままだ。

　出自を知る権利が保障されたとしても、生物学的な母親が見ず知らずの他人だと知った際の心理的影響は大きいだろう。生まれた子に障害があった場合の当事者の受け入れにも懸念が残る。

　生殖補助医療は通常の医療とは違い、新たに人間を生み出す技術だ。一民間団体が独自のルールで進めることが適切とは思えない。現実が先行する以上、子どもの親子関係を明確にするなど法整備は必要だ。その際には、既成事実を追認するのではなく、どの生殖補助技術が、どのような条件で認められるのか、改めて検討することも急いでほしい。

　親子関係は血のつながりだけが重要なのではない。里親制度や養子縁組(注5)の充実にも力を注ぐべきだ。

（毎日新聞 2015年7月28日付朝刊による）

(注1) 匿名：自分の名前を隠して知らせないこと。
(注2) 染色体：細胞の中にあり、遺伝情報を伝えるもの。
(注3) 早期閉経：普通より早く女性の生理がなくなること。
(注4) 出自：生まれ。
(注5) 里親：他人の子どもを預かって親として育てること、そのような親。

1 ①懸念がぬぐえないとあるが、どんな懸念か。

1 法整備に結びつかないまま既成事実が先行していること
2 親の希望はわかるが子供の幸せを考えていないこと
3 ＮＰＯ法人が対象としている女性が限られていること
4 卵子を提供する女性の体に負担があること

2 ②こうした技術とあるが、どのような技術か。

1 卵子提供の技術
2 体外受精卵を作る技術
3 代理出産の技術
4 生殖補助医療の技術

3 ③人を生殖の手段として使わないようにするとあるが、なぜ筆者はこのように考えるのか。

1 人間は人間を作り出してはいけないから
2 女性の体に与える負担が大きいから
3 母親が見ず知らずの他人だと知った時の心理的影響が大きいから
4 第三者が提供した卵子を用いた場合、提供者の気が変わる可能性があるから

4 筆者の主張にあっているものはどれか。

1 人間が人間をつくる医療は真の医療ではないのでやめるべきだ。それより里親制度や養子縁組を充実させるべきである。
2 現実が先行するのではなく、法的整備がまず必要である。その際に既成事実を追認してはならないのである。
3 生まれてくる子どもにとっては、望んで生まれてくるわけではなく、せめて自分の出自を知る権利は保障されるべきである。
4 新たに人間を生み出すことが民間団体の独自のルールで進められているのは、非常に懸念されることである。

UNIT 6 情報検索に挑戦！

第2章 実戦練習

❓ どんな問題？

パート1でも見たように、情報検索の問題には大きく分けて2つのパターンがあります。一つは、あるテーマについて説明や条件など関連する情報が並べられており、そこから質問の答えを探す問題です。もう一つは、あるテーマについて、いくつかの競合する内容が表に示されており、その中から質問の条件に最も合うものを選ぶというものです。

パターン 1 条件が箇条書きされている

例題

右のページは、外国人による日本語作文コンクールの募集要項である。下の問いに対する答えとして最もよいものを、1・2・3・4から一つ選びなさい。

[1] 応募の条件を満たしている人は誰か。

1 Aさんは2年間、日本に留学して、先月帰国したばかりだ。日本での体験をもとに作文を書いて、協会あてに郵送した。
2 Bさんはいい作文が2つ書けたので、両方に応募用紙をつけて送った。どちらかで入賞できればいいと思っている。
3 Cさんは完成した原稿をパソコンで打ち直し、応募用紙とともにメールに添付してPDFで送った。
4 Dさんは「気がつけば私も大阪人」という題名をつけ、清書した原稿を応募用紙とともに郵送した。

[2] 入賞結果はどのようにして知ることができるか。

1 11月中旬に、結果が家に送られてくる。
2 12月中旬に、結果が学校や会社に送られてくる。
3 11月中旬に、結果が協会のホームページで発表される。
4 12月中旬に、協会に結果を問い合わせれば教えてもらえる。

2015年度　外国人による日本語作文コンクール
「私の国際交流」

1. 応募資格：募集期間内に、日本に在留する外国人であること。
   ・応募は1人1作品、他のコンクール等に応募したことのない未発表の作品に限る。

2. 募集期間：20XX年9月15日（火）～20XX年10月15日（木）必着

3. テーマ：**国際交流についての経験、意見など**　（※題名は自由につけられます）

4. 使用言語：日本語

5. 応募形式：
   A4サイズの400字詰め原稿用紙3枚で、文字数1,000～1,200字（本文）
   ・本人自筆の原本に限る。パソコン使用の原稿及びコピー原稿は受け付けません。
   ・作品には必ず題名と氏名、あれば所属機関（会社、学校等）名を原稿用紙の枠外に記入。

6. 応募方法：
   応募用紙（PDF） に必要事項を記入のうえ、応募作品に添付し次の宛先へ郵送。
   ・応募用紙は、記入漏れのないようにお願いします。
   ・FAXやE-mailでは受け付けません。
   　〈作品応募先〉　〒530-00××　大阪市××××
   　　　　　　　　　○○国際交流協会　日本語作文コンクール事務局
   　　　　　　　　　連絡先：06-××××-××××

7. 入賞作品の発表：
   募集締め切り後、約2か月程度で所属機関を通じて入賞者に通知、当協会のホームページで発表予定。

8. その他：
   (1) 審査に関するお問い合わせには、一切お答えできません。
   (2) 募集要項に即していない作品は、審査の対象外となります。
   (3) 応募用紙に記載された個人情報は、本コンクールの運営に必要な範囲内で利用します。
   (4) 応募作品は返却しません。
   (5) 応募作品の著作権は当協会に帰属します。

> **解き方**
>
> [1] 選択肢に○、×を入れながら解く。**1**は「先月帰国」が×。**2**は「両方応募」が×。**3**は「PDF」が×。答えは**4**。
>
> [2] 「募集締め切り2か月後」「所属機関を通じて」がカギ。答えは**2**。

EXERCISE 1 ✏️

⇒答えはp.192

右のページは、ある町の粗大ごみの出し方についての案内です。下の問いに対する答えとして最もよいものを、1・2・3・4から一つ選びなさい。

[1] 3月15日の粗大ごみの収集日に古い自転車を1台出したい。どうすればよいか。

1. 3月1日までに電話で申し込んで、当日、処理券を貼(は)って出す。
2. 3月1日までに電話で申し込んで、当日、立ち会って手数料を支払う。
3. 3月8日までに電話で申し込んで、当日、処理券を貼(は)って出す。
4. 3月8日までに電話で申し込んで、当日、立ち会って手数料を支払う。

[2] 臨時ごみの申し込みをするのは次のどの場合か。

1. 自転車を捨てるつもりで申し込んだが、代わりにテーブルを捨てたい。
2. 机を捨てるつもりで申し込んだが、当日、処理券を買い忘れたことに気がついた。
3. 急に2週間後に引っ越すことになり、収集日以外に古い家具などを出したい。
4. 洗濯機を捨てるつもりだったが、収集日を間違えて出し忘れてしまった。

✳ 粗大ごみの出し方 ✳

※粗大ごみは事前申込みの上、有料で収集しています。

〈申し込みの手順〉

1）準備
①地域ごとに月1回、収集日が決まっていますので、ごみ収集の日程表でご確認ください。

②申し込みは、収集日の2か月前から2週間前までです。申し込み内容の変更、追加は1週間前までにお願いします。

③1回に申し込める粗大ごみは3点までです。
一度に4点以上出す場合や粗大ごみの次の収集日まで待てないときは、「臨時ごみ」として受け付けます。収集日を選べますが、料金が割り増しになります。収集時には必ず立会いのもと、現金で処理手数料をお支払いください。

④あらかじめ、申し込み予定品目のサイズを測っておいてください。
※自転車は1回につき2点まで、ベッドなどの大型家具は1回につき1点までです。

2）申し込み
①粗大ごみ受付センターまで、電話でお申し込みください。**電話：012-666-789**
受付は、月〜金曜日（祝日含む）の午前9時から午後5時までです。（年末年始を除く）

②受付時に「処理手数料」「収集日」「受付番号」をお伝えしますので、メモをしてください。

3）処理券の購入
①「粗大ごみ処理券」を粗大ごみ処理券販売所で購入してください。品目によって300円券、600円券の2種類があります。

4）当日の出し方
①「粗大ごみ処理券」に「受付番号」「収集日」を記入し、申し込んだ品目に貼って、収集日の**午前8時30分までに**出してください。

②券が貼られていない場合や、申し込みの内容と違う場合は収集しません。

③当日、出し忘れた場合はもう一度、電話で申し込んでください。

パターン 2 表から答えを探す

> **例題**

右のページは、外国人のための日本文化教室の一覧です。下の問いに対する答えとして最もよいものを、1・2・3・4から一つ選びなさい。

[1] 中国出身の女性、ヤンさんは、言葉が通じるなら日本文化教室に参加してみたいと思っている。日本語はほとんどわからないが、英語はできる。何にでも関心があり、毎週通いたいと思っている。通えるものはいくつあるか。

1　2つ
2　3つ
3　4つ
4　5つ

[2] ベトナム出身の女性アンさんは、文化体験教室に通いたいと思っている。日本語には問題がないが、仕事をしているので、月に3〜4回週末に行けるものがいい。ホームパーティーが好きなので、客をもてなせるものを身につけたい。どの教室に通うか。

1　生け花教室
2　着付け教室
3　日本料理教室
4　茶道教室

■ 外国人のための日本文化体験・・・心と体で日本を感じよう
場所：ミナミカルチャーセンター

コース内容	対応言語	日時	費用
生け花教室 心を落ち着けて花と対話します。 初心者歓迎！	日本語 英語	第1, 3火曜日 19:00〜20:00	月 5,000円 （材料費込み）
着付け教室 全10回。浴衣から本格的な着物まで1人で着られるようになります。 ※着物はレンタルあり	英語 中国語 ベトナム語	水・金 18:00〜20:00	10回 30,000円 週1回、いずれかの曜日を選んでください。
盆栽体験 今、世界で人気のミニ盆栽。 植物好きな人にぴったり！	日本語 中国語	土曜日 13:00〜16:00	毎週受講可 1回 3,500円 （鉢・材料費込み）
お弁当を作ろう 今や日本文化となった「弁当」。 作ったら、みんなで試食。	日本語 中国語	第4水曜日 10:00〜12:00	1回 2,000円 （材料費込み） ※持ち帰りあり。 　弁当箱は持参。
レディース空手 女子限定！ カッコいい女をめざそう！！	日本語 英語 中国語	初級　毎金曜 19:30〜21:00 中級　毎土曜 19:30〜21:00	月 8,000円 ※他諸費用 　7,000円／年
日本料理教室 大阪の味、お好み焼きから、すし、天ぷらまで。12回コース。 男性も大歓迎！！	日本語 韓国語	隔週日曜日 10:00〜12:00	12回（6月〜12月） 1回 3,000円 （材料費込み）
茶道教室 茶道を通じて、美しい動作を身につけましょう。	日本語	火・金 15:00〜18:00 土 14:00〜16:00	月4回まで都合のいい曜日においでください。 月 10,000円 ※諸費用1万円／年

> **解き方**
>
> 1 「中国語か英語」「毎週」をチェック。条件に合うのは、着付け、盆栽、空手。答えは**2**。
>
> 2 「客をもてなす」「週末」「毎週ではない」でチェックする。答えは**4**。

EXERCISE 1

⇒答えは p.192

右のページは、ＪＲ大阪駅周辺のレストランの案内です。下の問いに対する答えとして最もよいものを、1・2・3・4から一つ選びなさい。

1 アナンさんは明日の夜、来日した友人を日本料理の店に案内したいと思っている。久しぶりに会うので、静かにゆっくり話せる個室が希望だ。大阪駅から徒歩10分以内のところに、いくつあるか。

1　1つ
2　2つ
3　3つ
4　4つ

2 ムンさんはクラスの女子8名でランチ会をすることになった。前回は和食だったので、今回はそれ以外の店を探している。大阪駅にできるだけ近い店はどこか。

1　ナポリ
2　さくら
3　ときのこえ
4　アジアンダイニング

	店名	場所	料理の特徴	予算
A	創作イタリアン **ナポリ**	JR大阪駅から徒歩5分	・本格イタリア料理。 ・窯焼きピザが食べ放題。 ※7名以上のご予約でワイン1本サービス。	昼：¥2,000〜 夜：¥3,500〜
B	沖縄料理 **ヤンバル**	地下鉄中津駅から徒歩10分	・与論島出身のおばあが作る本場沖縄料理。 ※金・土曜は沖縄民謡ショーあり。	夜：¥4,500〜 ※コースは要予約
C	個室居酒屋 **松尾**	JR大阪駅から徒歩15分	・新鮮な魚料理が中心。 ・個室は2名〜最大15名まで。 ※コース+980円で2時間飲み放題	夜：¥3,000〜 昼：¥1,500〜
D	ダイニング **さくら**	JR大阪駅から徒歩3分	・無農薬野菜を使ったヘルシーな料理が中心。 ・女子会向き。 ※夜のみの営業。	桜コース：¥3,500 （2時間、デザート付き）
E	すき焼き **松坂**	JR大阪駅から徒歩8分	・黒毛和牛のすき焼きをリーズナブルな値段で味わえる。 ・個室でゆっくり食事を楽しめる。	昼：¥3,500〜 夜：¥5,000〜 すき焼き+飲み放題 3時間 ¥7,000〜
F	鳥料理 **ときのこえ**	JR大阪駅から徒歩10分	・人気の焼き鳥をはじめ、から揚げ、鳥鍋など、鳥肉料理が存分に堪能できる。 ・カウンター12席の家庭的な店。	昼：¥1,000〜 夜：¥2,500〜
G	エスニック料理 **アジアンダイニング**	地下鉄本町駅から徒歩5分	・タイ料理をはじめ、本場の味が楽しめる。7〜8割が女性客。 ※ABCのクーポン持参で10%割引。	昼：¥1,300〜 夜：¥3,000〜 ※コースは要予約
H	すし・魚料理 **青海水産**	JR大阪駅内	・日本海直送の新鮮な魚介料理が自慢の店。 ・全席完全個室。 ※宴会プランは3,500円から。	鍋コース ¥4,000〜

EXERCISE 2

⇒答えは p.192

右のページは、ある映画館の割引に関する一覧表である。下の問いに対する答えとして最もよいものを、1・2・3・4から一つ選びなさい。

[1] ワンさん（53歳）は、今月1日（日）の昼間、奥さん（48歳）と一緒に映画を見に行きたい。最も安い値段で見る場合、二人でいくらになるか。

1　2,200円
2　2,500円
3　2,800円
4　3,600円

[2] 映画好きのカレンさんは1年前に映画館の会員になった。カレンさん（女性50歳）は高校生の娘（17歳）と映画を見に来た。今日は6月14日火曜日、時刻は現在、午後4時である。最も安い値段で見る場合、二人でいくら払えばよいか。

1　2,000円
2　2,300円
3　2,400円
4　2,500円

CINES 割引きサービス表

【通常一般料金】　大　人　1,800円
　　　　　　　　　大学生　1,500円　※学生証をご提示いただく場合があります。
　　　　　　　　　高校生　1,200円　※学生証をご提示いただく場合があります。

CINESシネマズデー	1,400円	毎月14日は、映画が1,400円で見られます！
CINESポイントデー	1,100円	毎週火曜日、CINESの会員に限り、1,100円で映画が見られます（同伴1名は1,400円）。
ファーストデー	1,100円	毎月1日は、映画が1,100円で見られます！
CINESレディースデー	1,200円	毎週火曜日、女性に限り1,200円で映画が見られます。
レイトショー	1,000円	夜10時以降は映画が1,000円！ ※18歳未満の方は保護者同伴でもご入場いただけません。
シニア割引	1,100円	60歳以上の方は1,100円で映画が見られます。
夫婦50割引	お二人で2,500円	どちらかが50歳以上のご夫婦お2人で、同一日時・同作品をご鑑賞の場合 ※年齢確認のための証明できるもの(運転免許証等)のご提示をお願いする場合がございます。
障害者割引	1,000円	※付き添い1名様まで同料金。障がい者手帳をご提示ください。

第2章 実戦練習

EXERCISE の答え

UNIT 1 内容理解(短文)に挑戦！

EXERCISE 1
問い　正解：4

「家電に過電流が流れ、機器を壊す」ことの対策として「過電流をカットするコンセント」に言及している。

ことばと表現
- ヒョウ：漢字で「雹」と書く。hail ／冰雹／ Mưa đá
- 竜巻：tornado ／龙卷风／ Vòi rồng
- 機器：機械や器具など。
- コンセント：electrical outlet ／插座／ Ổ cắm điện
- 落雷(する)：雷が落ちること。

EXERCISE 2
問い　正解：4

「けん玉自身が世界一周している」という一文がカギ。日本発祥ではないが、江戸時代に日本に入ってきて改良され、時を経て、日本に来たアメリカ人青年によって再び世界に紹介され人気者になった。その経緯を「世界一周」にたとえた表現。

ことばと表現
- 発祥：物事が起こり現れること。
- 郷土：生まれ育ったところ。その地方。
- 玩具：おもちゃ。
- 郷土玩具：その土地の材料を使ったり、その土地の習慣に基づいたりして作られた玩具。
- 動画：video ／动画／ Phim
- サイト：site ／网站／ Trang điện tử
- 遊具：遊ぶために使うもの。おもちゃ。

EXERCISE 3
問い　正解：3

「新しいルール」と一致するのは、2行目の「…と言いはじめた」。何を言いはじめたのか、を考える。

ことばと表現
- 接触(する)：触れること。ここでは「ぶつかる」など、人と体が触れること。
- 浸透(する)：考え方ややり方などが広い範囲に行きわたること。

UNIT 2 内容理解(中文)に挑戦！

EXERCISE 1

1 正解：3

【内容の一致を問う問題】
「秋の風物詩だった」とあるので、1は×。運動会は「企業や町内会でも実施」とあるので、2は×。「演目は走ること中心」とあるので、4は×。「ヨーロッパ発祥」「日本独自の進化」とある。

2 正解：3

【内容理解を問う問題】
「問題視されている」は、「途方もない高さに挑戦する学校も出てきたのだ」に続く。見せ方がエスカレートしているということ。

3 正解：4

【筆者の主張を問う問題】
最終段落に答えがある。「成果を誇るものではない」「演技を期待していない」とあり、筆者が望んでいるのは「挑戦すること」。その結果として「子どもたちの感動と喜びが第一」としている。

ことばと表現
- 風物詩：季節の感じをよく表しているもの。
- 兼ね合い：二つのものがバランスをとること。
- 演目：劇や演奏会などで具体的に演じられたり演奏されたりするものの題名。
- 問題視(する)：問題とすること、問題として注意を向けること。
- エスカレート(する)：どんどん激しくなること。
- 途方もない：普通では考えられない、信じられない、常識を超えた。
- 見世物：spectacle, show ／玩意儿／ Vật trưng bày (thỏa mãn sự hiếu kì)

EXERCISE 2

1 正解：3
「バカにならない」とは、「軽視することができない」という意味。「維持費」を軽くみられないということは、お金がかかるということ。ここでいう「維持費」は生活ではなく車の維持費のこと。

2 正解：4
第1段落の「答えは自ずと出てくるだろう」は、〈以上の理由から、当然、若者が車を持たなくなっている〉ことを述べたものだが、これは一般論。第2段落が「おい」の話。「車の維持費」は「車にかけるお金」。「旅行やおいしいものを食べに行く」が「好きなこと」。

3 正解：4
末尾の「確かに」は誰かの意見に賛同、あるいは納得するときに使う言葉。最後の文の「選択」は「おい」の選択を意味し、筆者はそれに納得している。

ことばと表現
- 匹敵（する）：能力や価値が同じ程度であること。
- 新居：新しく住む家。
- カーシェアリング：車を共同利用すること。car sharing から。

UNIT 3 内容理解（長文）に挑戦！

EXERCISE

1 正解：2
この文章で「例外とし」、対象にしない分野が問われているので、1と3は×。4は「同じことである」とあるが、音楽での分野なので×。

2 正解：4
前の段落に「その内容が最も理想的に読者に伝わるためにはどうすればよいか。」とある。1は「全く単純な第一歩」とされているので、目的ではない。

3 正解：1
「当てはまらないもの」が問われていることに注意。

4 正解：3
「読み手を早く自分のペースに引きずりこむためには、序論みたいなものをクドクド書いていてはだめだ。」とある。

ことばと表現
- 随筆：miscellaneous essay／随笔／Tùy bút
- 冒頭：beginning／开头／Mở đầu, phần đầu
- ひかえる：順番が来るのを待つ、必要な時に備えて待つ。
- 布石：将来に備えて用意しておくこと。
- 文献：書かれたり印刷されたりしたもの。
- とりつかれる：ある考えや思いが頭から離れなくなる。
- 神妙：おとなしく、素直な態度。
- 素手：手に何も付けたり持ったりしていないこと。
- 傾注（する）：一つのことに心や力を集中すること。
- 引きずりこむ：（引っ張って）強引に中に入れる。
- 核心：core, crux／核心／Nòng cốt, cốt lõi
- クドクド：しつこく繰り返して言う様子。

UNIT 4 統合理解に挑戦！

EXERCISE 1

1 正解：4
選択肢に書かれていることがA・Bにないか、チェックする。1・3はAのみ。2はBのみ。AもBも朝食について述べている。

2 正解：4
選択肢と合う内容がA・Bに出てきたら、チェックする。Aは明らかに好意的なので、1・3は不正解。Bは好意的ではないので2は違う。

3 正解：2
評価を表す表現が出てきたら、線を引いておく。この投稿では、Aは第2・第3段落で、Bは第2段落で、ホテルそのものに対する評価を述べている。Aは不満点を複数挙げているが、Bの不満点はバスルームの狭さのみ。

ことばと表現
- 立地：建物の場所や位置。
- 完備：必要なものが完全に備わっていること。
- 端末：情報処理などのシステムを操作する部分、機器。
- 排水：いらない水を外に出すこと。
- 徒歩圏内：あまり不便を感じないで歩いて行ける範囲内。
- カイロ：熱を出す金属などを平たい袋に入れて体を暖めるもの。

EXERCISE 2

1 正解：1
2はいずれにもない。3はBCのみ。4はACのみ。

2 正解：3
Aは明らかに批判的。Bは肯定的。Cは「結構なこと」と述べており、肯定的。

3 正解：2
Aは「周りへの配慮に欠ける人」を問題視。Bは「大声を出すのはマナー違反」、Cは「場所にそぐわない大きな声を出せば迷惑」と述べている。4はBとCのみが訴えている。

UNIT 5 主張理解（長文）に挑戦！

EXERCISE 1

1 正解：3
（先生は）「ひらがなを学ぶと…商品の効能の説明をする」という部分に注目。

2 正解：3
「賢い消費者になりなさい」と、生まれてからずっと教え込まれてきたことが消費者マインド。「愚かな消費者」と「賢い消費者」の対比に注意。

3 正解：3
怒りの原因はどこにあるのか。微妙な答えは3と4。だが、筆者がより問題にしているのは、学生の失礼な態度ではなく、その考え方のほうである。

4 正解：2
学生は自分のモノサシですべてが計れると思っているが、そうではないということ。

ことばと表現
- 効能：efficacy ／效能／ Hữu hiệu
- 店舗：商品を売るための建物、店。
- 競合（する）：競い合うこと。
- ぶん殴る：強く殴る、勢いよく殴る。
- こらえる：がまんする。

EXERCISE 2

1 正解：2
全体からは1とも考えられるが、この段階では「子どもにとって望ましいことなのか」が筆者の懸念。「生まれてくる子ども」について繰り返し述べていることにも注目。

2 正解：4
「卵子提供」「代理出産」は例。全体としてそれらを含むものを考える。

3 正解：2
この場合の「人」は「女性」。その理由を考える。

4 正解：2
筆者は「生殖補助医療」に全面的に反対しているわけではない。「一民間団体が独自のルールで進めること」に反対なのである。

ことばと表現
- 卵子：ovum ／卵子／ Trứng
- 受精（する）：fertilize, impregnate ／受精／ Thụ tinh
- 無償：without compensation, for free ／无偿／ Không hoàn lại
- 公表（する）：広く世間に発表すること。
- 子宮：womb ／子宮／ Tử cung
- 既婚：すでに結婚していること。
- 懸念（する）：気になって不安に思うこと。
- ぬぐう：wipe ／擦／ Lau
- 関与（する）：関わる、関係する。
- 生殖：reproduce ／生殖／ Sinh sản
- 既成事実：既に起こってしまい、認めるべき事実。
- 追認（する）：後から過去のことを事実として認めること。
- 養子：adopted child ／养子／ Con nuôi
- 縁組：親子や夫婦の関係を結ぶこと。

UNIT 6 情報検索に挑戦！

EXERCISE 1

1 正解：1
最初の申し込みは2週間前まで。立ち会いが必要なのは臨時ごみ。

2 正解：3
臨時ごみは、4点以上出す場合と、次の収集日まで待つことができない場合。1は変更の申し込み、2・4は臨時ごみではなく、再度申し込みをしなければならない。

EXERCISE 2

1 正解：2

「日本料理」「個室」「大阪駅から徒歩10分」が条件。当てはまるのはEとH。

2 正解：1

和食以外はナポリとアジアンダイニング。さくらは昼の営業がないので×。大阪駅に近いのはナポリ。

EXERCISE 3

1 正解：1

ポイントとなる「年齢」「見に行く日」「夫婦」をチェックする。

2 正解：2

表の外の情報もチェックする→高校生はいつも1,200円で見られることがわかる。

「会員」「日時」「高校生（17歳）」に注目して、それぞれの条件を見る。

シネマズデーは利用できるが割引が少ない。／ポイントは利用できるが、二人で利用すれば2,500円。／自分のみポイントを利用し、高校生の通常料金を払うほうが安い→2,300円。／レディースデーは利用できる→2,400円。／レイトショー（2,000円）は17歳の娘が見られないので、×。

PART 3
模擬試験

解答用紙は別冊 p.15 にあります。

問題8 次の(1)から(4)の文章を読んで、後の問いに対する答えとして最もよいものを、1・2・3・4から一つ選びなさい。

(1)
　最近、ストレスによる下痢や便秘に悩む人が増えてきているという。20代から40代という比較的若い年齢の男性に多く、検査をしても消化器に異常のない場合が多い。長い通勤電車の中とか会議中とか、どうしてこんなときにという時にかぎって激しい便意をもよおす。一度体験すると、それが不安要因になって悪循環をくりかえす。まじめで几帳面な人に多いというが、性格は一朝一夕に変えられないし、仕事のストレスだからといって仕事は簡単に辞められない。慢性化するとなかなか大変らしい。ストレスが原因なら心療内科にかかるのも手だそうだ。

[46] どうしてこんなときとあるが、どんなときのことを言っているか。

1　若いとき
2　トイレに行けないとき
3　くりかえすとき
4　仕事が辞められないとき

(2)
　かつて、縁日のカメ釣りやペットショップなどで小さいカメが人気を集めたことがある。このカメ、はじめは500円玉くらいの大きさでかわいいのだが、実は30センチくらいにも成長し、20年、30年と長生きをする。大きくなれば、食べる量も排泄量も運動量も増える。とても飼えないと川や池に捨てられたカメたちが繁殖して、畑の作物が食べちぎられたり、日本固有種が生息地を奪われたりと、被害は拡大するばかりだ。すでに輸入は禁止されているが、一度繁殖したカメの駆除は一筋縄ではいかない。その場のかわいさだけで、将来まで責任を負おうとはだれも考えない。小さくてかわいかったカメたちが日本を静かに食べ尽くそうとしている。

（注）一筋縄ではいかない：容易ではない

[47] その場のかわいさとは、どういう意味か。

1　縁日でかわいいカメを釣ったとき
2　ペットショップでかわいいカメを見たとき
3　かわいいからカメを飼おうと思うとき
4　500円玉くらいの大きさがかわいいとき

(3)
　お伊勢参りと言えば、三重県にある伊勢神宮にお参りすることだ。庶民の自由な移動が制限されていた江戸時代、伊勢神宮にお参りに行くという名目なら旅に出ることを許された。それで、多くの人々が遠くからも伊勢にお参りした。一方、純粋にお参りに行くことを望んでも、健康面や経済的な理由などで伊勢まで行けない人も多く、彼らの中には、自分の飼っている犬を代わりにお参りに出す人もいたという。そういう犬は参宮犬と呼ばれ、困難を乗り越え無事に帰ってきた折には記念に石碑を立てることもあった。伊勢から1000キロ以上も離れた青森県にも参宮犬の記録が残っているという。

48　なぜ多くの人々が遠くからも伊勢にお参りしたか。

1　お伊勢参りなど自由な旅行が好きだったから
2　お伊勢参りしか自由に旅行できなかったから
3　お伊勢参りをすると健康になれたから
4　お伊勢参りに犬といっしょに行けたから

(4)

　中高年の登山ブームが言われて久しいが、それにともなって山で遭難する中高年者が増えている。遭難した人の75％、死んだり行方不明になった人の90％が40歳以上という。また、北アルプスを抱える長野県で調べたところ、60歳以上で遭難した人の7割が登山経験10年以上のベテランと思われる人たちだった。特別な技術が必要ない山でも、登山が常に死と隣り合わせであることに変わりはない。日頃のトレーニングが欠かせないのはもちろんのこと、以前と同じようにできるはず、この道はよく知っている、という自分自身への過信が事故の原因につながりかねないのだ。

[49] この文で筆者が言いたいことは何か。

1　中高年者は山で死んだり行方不明になったりしがちなので、行かないほうがいい。
2　中高年者の登山のベテランには、自分の経験や技術を過信する傾向がある。
3　山を楽しむためには、それなりの準備と自分自身の力量をよく知ることが大切だ。
4　日本の山は特別な技術が必要ないので、トレーニングをする環境としていい。

問題9 次の(1)から(3)の文章を読んで、後の問いに対する答えとして最もよいものを、1・2・3・4から一つ選びなさい。

(1)

　　進学や就職などで都市に人口が流入し続けることで、地方の過疎化、高齢化が進み、①人口減に歯止めがかからない。若者や子供が全くいない地域は限界集落とも呼ばれ、数年後には②集落そのものの消滅が予測されているところもある。しかし、都会から地方への移住者がいないわけではない。まずは、地方出身者が都会での生活をやめ、故郷に戻ってくるUターンがあげられる。ただ、地方では都会と同じように収入を得るのは難しく、生活の維持は簡単ではない。そんな中、Uターンにならって、アルファベットの文字の形から③Jターンという言葉も生まれた。自分の出身地ではなく、その近くの地方都市に移住することだ。仕事も比較的探しやすく、老いた両親のそばにも住めるというわけだ。さらに、Iターンと呼ばれる、都会出身者が地方の豊かな自然や人情に引かれて田舎に移住するケースもある。これはA地点からB地点への移動なので、ターンというわけではないが、UターンやJターンにならって名付けられている。単なるあこがれだけでは、全く環境の違う土地での生活は成り立たないだろうが、地方自治体が積極的に移住希望者の相談に乗り、体験移住の機会を作ったり、就労や住宅、教育などの支援をすることで新住民の呼び込みに成功し、過疎の村を活性化させ人口増に転じたところがあるのも事実だ。

（注）集落：人の住む家が集まっているところ

[50] 一部の地方で①人口減に歯止めをかけることができたのはなぜか。

1 地方から都会へ出て行く地方出身者が増えたから
2 都会から故郷へ戻ってくる地方出身者が増えたから
3 都会から故郷近くの都市に移る地方出身者が増えたから
4 都会から地方へ移り住む都会出身者が増えたから

[51] ②集落そのものの消滅とあるが、集落が消滅するのは、なぜか。

1 住む人がいなくなってしまうから
2 自治体が移住をすすめるから
3 仕事がなくて生活が苦しいから
4 移住者だけになってしまうから

[52] つぎのうち、③Jターンの例はどれか。

1 大阪出身のAさんは東京でサラリーマンをしていたが、名古屋に転勤することになった。
2 沖縄出身のBさんは地元の高校を卒業した後、東京の大学に進学し、東京で弁護士をしている。
3 東京出身のCさんはIT企業に就職したが、北海道にあこがれて北海道の牧場で働くことにした。
4 東北の山村で育ったDさんは東京で調理師をしていたが、東北の大都市仙台のホテルに転職した。

(2)

　青年はまず家族から離れてゆかねばならない。自分を育み自分を保護してくれた家族から離れることは恐ろしいことでもあるし、また、自立の意志が高まってくるときは、是が非でもやり遂げたいことになる。動物の場合は、親離れ——したがって子離れも——がどれほど見事に行われるか、ＴＶなどでよく紹介されるので見た人が多いと思う。①それまで子どもがすり寄ってくるのを喜んでいた親が、子どもがある年齢に達すると急に態度を変え、寄ってくる子どもを突きとばしたり、噛みついたりする。子どもは驚き苦しみながらも、親離れをしてゆく。このようなことが、自然にプログラムされているところが実に素晴らしい。

　これに対して、人間というのは自然に手を加え自分の好きなように支配しようとしているうちに、自分の内なる自然の破壊を相当に行なってしまった。そのために親離れ、子離れがなかなかうまくいきにくくなったことは、あちこちによく論じられているので、周知のことと思う。

　しかし、現代におけるもっとも大きい問題は、出立してゆく土台となるべき「家」が存在しないという青年が増えてきている、ということではなかろうか。家庭において必要なだけの一体感の体験があるからこそ、それを土台として離れてゆくことができる。ところがその体験が不十分なときは、本当の意味での「家」がないので、自分の住んでいる家を出て、他に本来的な家体験を求めることになる。ホームレスは現代の大きい問題である。家があり両親があり、物が豊富にありながら、②心理的には「ホームレス」の子どもたちがいる。

　　　　　　　　　　　　　　　（河合隼雄『青春の夢と遊び』岩波現代文庫による）

53 ①それまでは何を指すか。

1 ＴＶなどで紹介されるまで
2 子どもがある年齢に達するまで
3 寄ってくる子どもを突き飛ばすまで
4 子どもが親離れしてゆくまで

54 ②心理的には「ホームレス」の子どもたちとは何を指すか。

1 家庭という一体感の体験がない子どもたち
2 自分の住む家がない子どもたち
3 両親が働いていて家にいない子どもたち
4 急に親が態度を変えてしまう子どもたち

55 この文で筆者が問題だと考えていることは何か。

1 動物でも時期が来れば親は子どもに厳しく接して子どもを自立させているのに、人間にはそれができない親が多いこと
2 今の若者は自分の住んでいる家を出て他に家を探しに行って、結局ホームレスになってしまっていること
3 今の若者は出立してゆく土台となるべき家が存在しないので、自分の家を出て行くことができないでいること
4 若者の自立には体験としての家という土台が必要なのに、その土台がなくて、心理的「ホームレス」が増えていること

(3)
　まず、役割語は現実の人物の日常的なリアルな話し方について規定するものではありません。たとえば「すてきだわ」のような表現はいかにも女性的に感じられるので、私たちはこれを〈女ことば〉の一要素と捉えますが、そのことは「女性の日本語話者は必ずそのような表現を用いる」とか、ましてや「女性の日本語話者は用いるべきだ（用いた方がいい）」ということを主張するわけではありません。そうではなくて、「すてきだわ」のような言い方を多くの日本語話者が「女性的である」という知識を共有している、という点に注目したいのです。

　このように、「実際にそうであるかどうか」はともかくとして、「こういうグループの人間はえてしてこういう性質を持っている」という知識が社会で広く共有されているとき、その知識のことを「ステレオタイプ」と言います。たとえば「女性は男性よりも感情的な言動を取りやすい」といったような知識です。ステレオタイプな知識はしばしば偏見や差別と結びつきやすく（たとえば「だから女性をリーダーにするのは避けよう」などという判断に結びつけるなど）、社会的な弊害も大きいのですが、一方でなかなか排除が難しいという性質も持っています。役割語は、言葉のステレオタイプと言うことができます。

　ステレオタイプが最も効力を発揮するのは、フィクションにおいてです。役割語はまさしくそうです。つまり、せりふを役割語によって構成すれば、フィクションの作り手の想定した人物像が瞬時に、的確に受け手に伝わるからです。あるいはこうも言えます。ある影響力のある作り手が、いまだ充分役割語として受け入れられていない表現を作品の中で用いることによって、ステレオタイプが強化され、役割語としての認知度が高められるのです。ステレオタイプな知識は、いわゆる芸術的な作品よりも、大衆的な作品、B級作品と言われる作品でより多く活用される傾向があります。

（金水敏『〈役割語〉小辞典』研究社による）

56 筆者の言う役割語を説明する例として、正しいものはどれか。

1 女性は女性の役割を表すために「すてきだわ」という言葉を使う。
2 女性の役割語なので、女性はみんな「すてきだわ」と言う。
3 「すてきだわ」と聞くと、多くの人は女性的だと思う。
4 現実の話し方を表していないのでだれも「すてきだわ」とは言わない。

57 筆者の説明によると、「ステレオタイプ」とはどういうものか。

1 「すてきだわ」という言い方はいかにも女性的だと思う感覚
2 実際に関係なく、ある人々にある性質があると社会が共有している知識
3 女性は男性より感情的な言動をとりやすい事実
4 女性をリーダーにしないほうがいいという判断

58 役割語はなぜフィクションに多く使われるのか。

1 ステレオタイプが生きてくるのはフィクションだから
2 役割語はステレオタイプだから
3 受け手に人物像が的確に伝わるから
4 役割語になっていない表現もステレオタイプ化されるから

問題10 次の文章を読んで、後の問いに対する答えとして最もよいものを、1・2・3・4から一つ選びなさい。

　いまの社会は、つよい学校信仰ともいうべきものをもっている。全国の中学生の94パーセントまでが高校へ進学している。高校ぐらい出ておかなければ……と言う。
　ところで、学校の生徒は、先生と教科書にひっぱられて勉強する。自学自習ということばこそあるけれども、独力で知識を得るのではない。いわばグライダーのようなものだ。自力では飛び上がることはできない。
　グライダーと飛行機は遠くからみると、似ている。空を飛ぶのも同じで、グライダーが音もなく優雅に滑空しているさまは、飛行機よりもむしろ美しいくらいだ。ただ、悲しいかな、自力で飛ぶことができない。
　学校はグライダー人間の訓練所である。飛行機人間はつくらない。グライダーの練習に、エンジンのついた飛行機などがまじっていては迷惑する。危険だ。学校では、ひっぱられるままに、どこへでもついて行く従順さが尊重される。勝手に飛び上がったりするのは規律違反。たちまちチェックされる。やがてそれぞれにグライダーらしくなって卒業する。
　優等生はグライダーとして優秀なのである。飛べそうではないか、ひとつ飛んでみろ、などと言われても困る。指導するものがあってのグライダーである。
　グライダーとしては一流である学生が、卒業間際になって論文を書くことになる。これはこれまでの勉強といささか勝手が違う。何でも自由に自分の好きなことを書いてみよ、というのが論文である。グライダーは途方にくれる。突如としてこれまでとまるで違ったことを要求されても、できるわけがない。グライダーとして優秀な学生ほどあわてる。
　そういう学生が教師のところへ"相談"にくる。ろくに自分の考えもなしにやってきたってしかたがないではないか。教師に手とり足とりしてもらって書いても論文にはならない。そんなことを言って突っぱねる教師がいようものなら、グライダー学生は、あの先生はろくに指導もしてくれない、と口をとがらしてその非を鳴らすのである。
　そして面倒見のいい先生のところへかけ込み、あれを読め、これを見よと入れ知恵してもらい、めでたくグライダー論文を作成する。卒業論文はそういうのが大部分と言っても過言ではあるまい。
　いわゆる成績のいい学生ほど、この論文にてこずるようだ。言われた通りのことをするのは得意だが、自分で考えてテーマをもてと言われるのは苦手である。長年のグライダー訓練ではいつもかならず曳いてくれるものがある。それになれると、自力飛行の力を失ってしまうのかもしれない。

もちろん例外はあるけれども、一般に、学校教育を受けた期間が長ければ長いほど、自力飛翔の能力は低下する。グライダーでうまく飛べるのに、危ない飛行機になりたくないのは当たり前であろう。

(外山滋比古『思考の整理学』ちくま文庫による)

59 グライダーの説明として、本文の内容に合っているのはどれか。

1 グライダーにはエンジンがついている
2 飛行機のほうがグライダーより美しい
3 グライダーは自力で飛び上がることができる
4 グライダーは音を出さずに飛ぶことができる

60 学校教育はどんな人間をつくると筆者は述べているか。

1 自学自習ができる人間
2 ひっぱられたらついていく従順な人間
3 独力で考えて勝手に行動する人間
4 他人の面倒見がいい人間

61 大学の優等生の大部分が卒業論文を書く前にすることは何か。

1 担当教師の指導不足を批判する
2 自分で十分考えてから教師に相談する
3 内容を指示してくれる教師に相談する
4 独力でいろいろな資料を集める

62 筆者の考えに最も近いものはどれか。

1 学校教育は学生の自学自習能力を奪ってしまう
2 学校は規律を厳しくして学生を従わせている
3 いい教師は手とり足とり親切に学生を指導している
4 学生は独力で考えて論文を書くのが当然だ

問題11 次のAは「ゆう活」に関する新聞記事、Bは「ゆう活」に対する投書である。後の問いに対する答えとして最もよいものを、1・2・3・4から一つ選びなさい。

A

　政府は長時間労働の慢性化を抑えるため、国家公務員を主な対象として7、8月に始業時間を通常より1～2時間早める方針を決めた。出勤時間が早まれば帰宅時間も早まるため、夕方の時間を有効に使うことができ、皆が早めに帰ろうとすることで、子供を保育園に預けて働く人が気兼ねなく迎えに行ける、などとしている。期間中は夕方以降に会議を設定しないといった取り組みも行い、職員の退庁時間を早める。ただし、このようなプラスの効果を出すためには、「ゆう活」の実施によって結果的に労働時間が延長されることがないような配慮が必要であり、育児・介護など、個々の家庭の事情にも柔軟に対応する必要がある。長時間労働が常態化している日本社会において、この「ゆう活」がどの程度実施され、人々の働き方を変えることができるか、政府の本気度が試される。

（東日新聞）

B

　この夏、私は政府が主に国家公務員を対象として実施している「ゆう活」にならって、夏休みの期間中、朝型勤務を申請した。私の勤める県立高校でも希望者に「ゆう活」が適用されたからである。「ゆう活」を実践してみて予想以上に変わったのは、やはり夕方の過ごし方だ。まだ明るい時間のうちに帰れるため、子供たちとも夕食前にたっぷり遊んでやることができた。また、帰宅途中に図書館に寄って、久しぶりにゆっくりと読書を楽しむこともできた。職場全体で「ゆう活」を実践した人は少数派だが、私は今回体験してみてよかったと思っている。働き方、家庭での過ごし方について立ち止まって考えてみるよい機会となった。

（山口県D．Y．）

[63] ＡとＢの両方が触れている内容はどれか。

1 「ゆう活」の実施による夕方の時間の有効利用
2 業務の効率化の必要性
3 「ゆう活」に参加する人の人数
4 「ゆう活」を実施する際に気をつけるべきこと

[64] 「ゆう活」について、ＡとＢはどのような立場をとっているか。

1 ＡもＢも、ともに肯定的である。
2 Ａは否定的だが、Ｂは消極的に肯定している。
3 Ａは明確にしていないが、Ｂは肯定的である。
4 ＡもＢも、ともに明確にしていない。

[65] 「ゆう活」の本来の目的を損なう可能性のある問題は何か。

1 朝から明るい夏という期間限定でしか実施できない。
2 図書館や美術館などが近くにない地方だと、夕方の時間の有効利用が難しい。
3 介護や育児などの個人の事情よっては、参加させることができない。
4 残業をしない、させない努力を怠れば、早めに出勤する分、労働時間が延びてしまう。

問題12 次の文章を読んで、後の問いに対する答えとして最もよいものを、1・2・3・4から一つ選びなさい。

　日本では専門書が日本語で書かれている、と言うと、たとえばインドの人などは驚嘆します。自分の母語で専門書が書けるなどということが信じられないというのです。インドの場合、教科書はその多くが英語で書かれていますし、専門書は英語でしか書くことができないのです。

　しかし、このようなインドの例や、マレーシアやフィリピンなどアセアン（東南アジア諸国連合）諸国の例は、①日本にとって他人事ではないということも、また実感としてあります。最近、留学生が増えるにつれて、工学や経済学の分野、さらには人文学の分野においても、英語でする講義が増えてきています。また、分野によっては学問的な論文は英語でというのが常識になっていますし、国際学会では英語がほとんど唯一の公用語です。日本で開かれる学会で、日本語をテーマとした分科会においてすら、日本語を使ってはいけないといったひじょうに変なことさえもがおこっているのです。

　このような英語の特権化が、日本語にかぎらず、世界中の言語にとって、いわば危機的状況をもたらしています。もちろん、ほんとうにバイリンガルな状況において英語と日本語が対等の立場で存立しているというのであれば問題はありません。しかし、②その点について、私は疑問を感じないではいられないのです。

　ところで、最近、外来語に関する議論がさかんです。カタカナ外来語がひじょうに多い、それをいかに削減すべきかということが、議論の焦点になっています。

　この点に関して、わたしの立場から言いたいことは、カタカナに変換すること自体が日本語のフィルターによる濾過（注1）であるということです。日本人にとっては無意識なことなのかもしれませんが、その濾過の結果が英語の直接的な侵入を阻止するひとつの防波堤になっているということです。誤った発音を誘発するカタカナ語よりも、原語（英語の綴り字のまま）で英語を導入すべきだと説く人がいますが、わたしはそれこそが日本語にとっては危険なことだと思っています。カタカナ外来語こそが英語ではない日本語なのです。

　英語による情報の津波に対して、明治のように訳語にしていく時間的余裕もないままに、新しい概念はとりこまなくてはならないという現実があります。そこで、悲しいかな、カタカナ語が増えていくのです。しかし、その状況は、あるていど③日本語にとって必要なことと考えます。外来語を必要としない人は、カタカナ語を、見識をもって堂々と無視すればいいのです。ニュアンスを競うだけのような、不必要なカタカナ語は、いずれは淘汰されるでしょう。（注2）

　ちなみに、必要なものであるのならば人為的に漢語に翻訳するなどといった対処は、時代錯誤というものです。もちろん、言い換えによって、その語の意味の周知がはかられるという効

果を否定するものではないのですが。

　さて、日本人が英語も話せるバイリンガルになることは、悪いことではありません。日本国外で話すときには、日本語では通じないのですから、英語が話せるようになることは必要です。ただ、英語を話せるようになることが、日本語の危機にかかわってくると言えなくもないのです。たとえば、シンガポールはもともと中国系が圧倒的だったのですが、国際性をめざして英語を重視した結果、子どもたちの英語力は上達しました。しかし、地域中国語は衰えました。安定的なバイリンガリズムはひじょうに重要ですが、二つの言語が同等の力をもっている場合でなくては、それはむずかしいのではないかと思うのです。

　その意味で、小学校教育での英語導入ということについてですが、言語学者の宮島達夫さんは、「将来、日本人が英語モノリンガルになるかもしれないという可能性をも認識したうえで、あたるべきだ」との警鐘を鳴らしています。いずれにしても、いずれかの段階で母語教育の重要性の論議がかならずや再登場してくるでしょう。

　あらためて言いますが、けっして英語を排斥しようと言っているのではありません。国際舞台におけるコミュニケーションツールとしての英語を駆使できるような教育は、ぜったいに必要なのですから。

（真田信治『方言は気持ちを伝える』岩波ジュニア新書による）

（注1）濾過：液体をあるところに通してごみなどを取り除くこと
（注2）淘汰される：不必要なもの、条件に合わないものとして除かれる
（注3）警鐘を鳴らす：注意を促すために危険を知らせる

66 ①日本にとって他人事ではないとは、どういう意味か。

1 インド、マレーシア、フィリピンと英語の勢力が拡大しているから、日本もやがて英語に飲み込まれるだろう。
2 アセアン諸国が英語を公用語としているため、いずれ日本もそれに従わざるを得なくなくだろう。
3 日本語は特殊な言語なので、専門書や講義に使うことは留学生を無視しているということになる。
4 国際社会において英語は公用語であり、日本もインドなどと同じようにさまざまな場面で英語を使わなければなくなるだろう。

67 ②その点とは、何を指すか。

1 英語と日本語が対等の立場で存立しているということ
2 日本では専門書が日本語で書かれているということ
3 英語の特権化という現象が起こっているということ
4 世界中の言語が危機的状況に置かれているということ

68 ③日本語にとって必要とあるが、筆者はなぜ必要と考えるか。

1 英語の直接的な侵入を防ぐことになるから
2 外来語を必要としない人は堂々と無視できるから
3 不必要なカタカナ語はいずれ消えていくから
4 新しい外国語の意味が広く知られるようになるから

[69] この文章で筆者が最も言いたいことはどれか。

1 国際舞台に備えて英語教育は必要だが、安易な英語の特権化は日本人が英語モノリンガルになる可能性を含んでおり、母語教育の重要性が今一度議論されるべきだ。
2 英語と日本語がバイリンガルな状況で対等でなければ、英語に重点を置いた教育は日本語の危機を招き、いずれ日本もインドやシンガポールのようになってしまう。
3 英語の特権化が世界中の言語に危機的状況をもたらしている。国際学会のように英語が公用語になっている場合は仕方ないが、そうでない場合は使うのを控えるべきだ。
4 カタカナ外来語はちゃんとした日本語であり、減らすべきではない。同じように英語も国際社会に必要なものだから、駆使できるように教育が必要だ。

問題 13 右のページは、市民バスケットボール大会の参加要項である。下の問いに対する答えとして最もよいものを、1・2・3・4から一つ選びなさい。

[70] キムさんは会社の仲間とこの大会に参加することにした。まず、最初に必要なことは何か。

1 傷害事故に備えてチーム全員がスポーツ障害保険に加入すること
2 申込書に必要事項を記入して、スポーツ振興課に郵送すること
3 チームのメンバーのうち、2人以上が審判講習会を受講すること
4 チームの代表が予選組み合わせ抽選会に出席すること

[71] 小学生チームの代表は、予選組み合わせ抽選会に何を持っていくか。

1 参加費
2 参加費、全員分の参加許諾書(印)
3 参加申込書、参加費
4 参加申込書、参加費、全員分の参加許諾書(印)

市民バスケットボール大会 ◆ 参加要項

- 日時 ： 10月11日(土)～11月23日(日)の土曜、日曜、祝日、休日
  　　　　　8:30 集合　9:00 試合開始
  　　　　　　　※11月23日(日)の決勝は10時開始

- 場所 ： 中央体育館、南体育館、東体育館、本町体育館

- 参加資格 ： 市内在住か在勤の小学4年生以上(児童、生徒、学生は在住者のみ)
  　　　　　　　※小・中学生は保護者の参加許諾書(印)が必要

- 参加費 ： 一般(高校以上)　1チーム 3,000円
  　　　　　小・中学生　　　1チーム 1,500円
  　　　　　　　※予選組み合わせ抽選会時に納入すること

- 予選組み合わせ抽選会 ： 9月26日(土)中央体育館にて
  　　　　　　　　　　　　17:00～　小学生
  　　　　　　　　　　　　18:00～　中学生
  　　　　　　　　　　　　19:00～　一般(高校以上)
  　　　　　※代表者が必ず出席すること。欠席の場合は出場不可とする。
  　　　　　※小・中学生の部のチーム代表者は全員の参加許諾書(印)を持参。

- その他 ： 一般の部の参加チームは、1チームにつき2人以上の選手がバスケット
  　　　　　ボール審判講習会(9月26日)を受講し、審判資格を取得すること。
  　　　　　万一の傷害事故等に備えて、スポーツ保険などに加入しておいてください。

- 申し込み方法 ： 申込書に必要事項を記入の上、
  　　　　　　　　〒501-0011 スポーツ振興課(住所不要)まで郵送。
  　　　　　　　　9月4日(金)必着。
  　　　　　　　　※申込書は市役所および体育施設に置いてあります。スポーツ振興課の
  　　　　　　　　　ホームページからもダウンロードできます。

- お問い合わせ先 ： ○○市スポーツ振興課　06-0123-4567　担当　村田／山崎

● 著者

氏原 庸子（大阪 YWCA）
岡本 牧子（　〃　）
清島 千春（　〃　）
佐伯 玲子（　〃　）
福嶌 香理（　〃　）

レイアウト・DTP　　オッコの木スタジオ
カバーデザイン　　花本浩一
翻訳　　Alex Ko Ransom ／ Ako Fukushima
　　　　司馬黎／近藤美佳／Duong Hoa
編集協力　　高橋尚子

日本語能力試験　Ｎ１読解　必修パターン

平成 27 年（2015 年）　11 月 10 日　初版第 1 刷発行
平成 30 年（2018 年）　11 月 10 日　　　第 3 刷発行

著　者　氏原庸子・岡本牧子・清島千春・佐伯玲子・福嶌香理
発行人　福田富与
発行所　有限会社Ｊリサーチ出版
　　　　〒 166-0002　東京都杉並区高円寺北 2-29-14-705
電　話　03(6808)8801（代）　FAX 03(5364)5310
編集部　03(6808)8806
　　　　http://www.jresearch.co.jp
印刷所　株式会社シナノ パブリッシング プレス

ISBN 978-4-86392-249-5
禁無断転載。なお、乱丁、落丁はお取り替えいたします。

©2015　Yoko Ujihara, Makiko Okamoto, Chiharu Kiyoshima, Reiko Saeki, Kaori Fukushima　　All rights reserved.
Printed in Japan

〈模擬試験〉
答えと解説

模擬試験　解答・解説 …… 2

試験に出る言葉 …………… 6

採点表 ……………………… 14

解答用紙（模擬試験）…… 15

模擬試験　解答・解説

問題8

(1)

46　正解：2

「こんな」は直前の「長い通勤電車の中とか会議中とか」を指す。

📖 **ことばと表現**

- 消化器：digestive organ／消化器官／hệ tiêu hoá
- 便意：大便や小便がしたくなる気持ち(特に前者)。
- ～をもよおす：そういう気持ちにさせる。
- 一朝一夕：わずかな期間、短い時間。
- 慢性化(する)：to become chronic／慢性／mãn tính hoá
- 心療内科：psychosomatic medicine／心疗内科／khoa tâm thần

(2)

47　正解：3

いろいろなときにかわいいと思うのだが、「将来まで」という言葉につながるのは、「飼う」とき。

📖 **ことばと表現**

- 縁日：その神社や寺との関係で行事が行われる日。
- 排泄(する)：不要なものを体外に出すこと。
- ちぎる：手で切って離す。細かくばらばらにする。
- 食べちぎる：食べてばらばらの状態にする。
- 生息地：その生物が主にすみ、生活するところ。
- 駆除(する)：to remove, to expel／驱除／tiêu diệt

(3)

48　正解：2

「自由な移動が制限された」ということは自由に旅行はできなかったという意味。そんななか、お伊勢参りだけ許されていたということ。

📖 **ことばと表現**

- 神宮：神社の一つ。特に天皇を祭っている大きな神社。
- 名目：表面上の理由。
- 参宮(する)：神宮に参拝すること。特に伊勢神宮。

(4)

49　正解：3

「登山が常に死と隣り合わせ」は山は危険だということを言っている。それでも、きちんとトレーニングして、自分自身を過信しないことで事故は防げるという文意。

📖 **ことばと表現**

- 遭難(する)：to encounter difficulty／遇难／(gặp) tai nạn trên núi/biển
- 過信(する)：自信を持ちすぎること。

問題9

(1)

50　正解：4

地方の人口を増やすためには新しい人が入ってくる必要がある。新しい人＝都会からの移住者。

51　正解：1

「若者や子どもが全くいない」ということは、今いる人たちが死んでしまうと住む人がいなくなってしまうということ。

50　正解：4

Jターンとは、「自分の出身地ではなく、その近くの地方都市に移住すること」。

📖 **ことばと表現**

- 過疎化(する)：ある地域の人口が少なすぎる状態になること。
- 歯止め：事態の進行を抑える働きを持つもの。

(2)
53 正解：2
この「それ」は前ではなく後ろに指示内容がある。以前は「子どもがすり寄ってくるのを喜んでいた」が、急に「寄ってくる子どもを突きとばしたり、噛みついたりする」ようになった。契機は「子どもがある年齢に達する」。

54 正解：1
「心理的」という言葉が実際のホームレスではないことを表している。

55 正解：4
土台となるべき「家」がない＝「家体験」のない若者が自分の家以外に「家」を求めて家を出るのが、心理的な「ホームレス」。この存在が「現代におけるもっとも大きい問題」と筆者は述べている。

📖 **ことばと表現**
- 是が非でも：ぜひ、なにがなんでも。
- 一体感：一つにまとまったと感じること。

(3)
56 正解：3
「すてきだわ」が女性的に感じるのは日本語話者の共有している知識であるから。「共有」しているということは、多くの人が同じように感じるということ。

57 正解：2
56と同じく、共有している知識があるから感じることができる。

58 正解：3
「フィクションにおいて」「効力を発揮する」ステレオタイプこそが役割語。作り手の想定を簡単に伝えられるから、役割語が使われる。

📖 **ことばと表現**
- 規定（する）：to regulate ／规定／ quy định
- 言動：発言と行動。
- 偏見：prejudice ／偏见／ thiên kiến
- 弊害：害になること。

問題10

59 正解：4
「グライダーが音もなく優雅に滑空しているさまは、飛行機よりもむしろ美しいくらいだ」とあるので、2は×。

60 正解：2
「学校では、ひっぱられるままに、どこへでもついて行く従順さが尊重される。勝手に飛び上がったりするのは規律違反」とあるので、3は×。

61 正解：3
大学の優等生が書いた卒業論文の大部分は「グライダー論文」である。

62 正解：1
「学校教育を受けた期間が長ければ長いほど、自力飛翔の能力は低下する」とある。筆者は面倒見のいい教師を「いい教師」と評価していないので、3は×。また、「突如としてこれまでとまるで違ったことを要求されても、できるわけがない」としており、「独力で考えて論文を書くのが当然」とは言っていない。

📖 **ことばと表現**
- 優雅（な）：refined, graceful ／优雅／ thanh lịch
- 滑空（する）：エンジンなどによらず、風の力などで空を飛ぶこと。
- 従順（な）：obedient ／柔顺／ trung thành
- 途方もない：常識・理解・想像を越えている様子。
- 突如：突然。
- ろくに〜ない：ちゃんと〜ない、まともに〜ない。
- 手とり足とり：何から何まで丁寧に教える様子。
- 突っぱねる：依頼や要求に対し、応じないことをはっきり示す。
- 口をとがらす：不満そうな表情をする。
- 非：誤り、よくない点。
- 過言：言い過ぎること。
- てこずる：うまく処理できないで困る（時間や手間がかかる）。
- 曳く：（船などを）引く。

問題11

63 正解：1
選択肢に書かれた内容がＡＢの文章に出てきたら、チェックする。
2・3はＡ・Ｂどちらも触れていない。4はＢが触れていない。

64 正解：3
選択肢と合う内容(立場が明確にわかる部分)がＡＢの文章に出てきたら、チェックする。Ｂは全面的に肯定的しているので2・4は不正解。Ａで政府は肯定的だが、新聞社は肯定的な意見を示していないので1は違う。

65 正解：4
Ｂは問題点について触れていないので、Ａの中から答えを探す。
ゆう活本来の目的とは「長時間労働の慢性化を抑える」こと。これに反する行為となるのは残業である。1の実施する季節については、述べられていない。2夕方の時間の有効利用は子供との触れ合いなど他の方法でも可能である。3の「参加させる」はゆう活の実施に際してしてはならないことで、ゆう活をするか否か個人の事情が優先される。

📖 **ことばと表現**

- 慢性化(する)：to become chronic ／慢性／ mãn tính hoá
- 気兼ねなく：遠慮することなく。
- 常態化(する)：元々は異常であったことが当たり前の状態になっていること。
- 申請(する)：to petition, to request ／申请／ xin 〜, thỉnh cầu

問題12

66 正解：4
「他人事ではない」とは「関係ないと安心していられない」という意味。では、何がそうなのか。「英語に飲み込まれる」「従わざるを得ない」「留学生を無視している」とは、書いていない。

67 正解：1
筆者が「疑問を感じないではいられない」点、つまり「疑問を感じている」点を探す。筆者は「英語と日本語が対等の立場で存立している」ことについて疑問を示している（現実はそうなっていない、だから問題だ、と言いたい）。

68 正解：1
まず、「その状況」とは何か。「カタカナ語が増えていく」ことである。大切なのは「濾過の結果が英語の直接的な侵入を阻止する一つの防波堤になっている」の部分。「日本語にとって必要」は「日本語が損なわれないために必要」ととらえる。2〜4はそれとは別の論点。

69 正解：1
大切なことは最初か最後に書かれていることが多い。この文のまとめは最後にある。

📖 **ことばと表現**

- 驚嘆(する)：驚き感心すること。
- 公用語：official language ／公用语／ ngôn ngữ chính thức
- 特権：special privilege ／特权／ đặc quyền
- 消滅(する)：消えてなくなること。
- 防波堤：breakwater ／防护堤、防波堤／ đê ngăn sóng
- 誘発(する)：ある事が原因となって、他の事を引き起こすこと。
- 綴り(字)：spelling ／纪录、拼写／ đánh vần
- 説く：物事の意味や理由などについて、よくわかるように話す。
- 見識：opinion, view ／见识／ kiến thức
- 人為的：自然にそうなるのではなく、人がかかわってそうなること。
- 漢語：漢字から成る熟語で音読みのもの。
- 時代錯誤：考えや感覚がその時代に合っていないこと。
- 周知：(世間一般に)知られていること。
- 排斥(する)：to reject ／排斥／ bài xích
- 駆使(する)：機能や能力を自由に、また十分生かして使うこと。

問題13

70 正解：2

1は試合当日まで、2は9月4日まで、3は9月26日、4も9月26日。よって、「まず、最初に必要なこと」は2。

71 正解：2

参加申込書、参加費、全員分の参加許諾書(印)のうち、参加申込書はすでに郵送済み。「(印)」は印かん(を押すこと)を表す。

📖 ことばと表現

- 要項：important point(s)／简章／các mục yêu cầu
- 傷害：傷つけたりけがをさせたりすること。
- 振興(する)：産業や活動などを盛んにすること。また、盛んになること。
- 講習会：class, course／讲习会／buổi giảng
- 承諾(する)：to agree, to consent／承诺／chấp nhận, đồng ý

試験に出る言葉

読解の問題本文中に出てくる可能性の高い言葉をいくつか取り上げ、分野別にリストにしました。

国・法律・行政

- ☐ 緩和(する) — to ease ／缓和／ hoà hoãn, nới lỏng
- ☐ 規制(する) — to control ／限制／ quy chế
- ☐ 規定(する) — to provide ／规定／ quy định
- ☐ 規範 — rule ／规范／ quy phạm
- ☐ 救済(する) — to rescue ／救济／ cứu tế
- ☐ 形態 — form ／形态／ hình thái
- ☐ 原則 — principle ／原则／ nguyên tắc
- ☐ 権力 — authority ／权力／ quyền lực
- ☐ 財政 — finance ／财政／ tài chính
- ☐ 仕組み — mechanism ／构造／ cơ cấu
- ☐ 施行(する) — to enforce ／实施／ thi hành
- ☐ 出生率 — birth rate ／出生率／ tỉ lệ sinh con
- ☐ 侵略(する) — to invade ／侵略／ xâm lược
- ☐ 推進(する) — to pursue ／推进／ thúc đẩy
- ☐ 政策 — policy ／政策／ chính sách
- ☐ 勢力 — power ／势力／ thế lực
- ☐ 促進(する) — to promote ／促进／ xúc tiến
- ☐ 訴訟(する) — to bring lawsuit ／诉讼／ kiện
- ☐ 当選(する) — to win an election ／当选／ trúng cử
- ☐ 統治(する) — to govern ／统治／ thống trị
- ☐ 排除(する) — to exclude ／排除／ bài trừ
- ☐ 福祉 — welfare ／福利／ phúc lợi
- ☐ 復興(する) — to recover ／复兴／ phục hưng
- ☐ 法案 — bill ／法案／ dự luật

経済・ビジネス・仕事

- ☐ インフレ — inflation ／通货膨胀／ lạm phát
- ☐ 赤字 — in the red ／赤字／ thâm hụt
- ☐ 格差 — gap ／差别／ chênh lệch
- ☐ 獲得(する) — to gain ／获得／ thu được, nhận được
- ☐ 活発(な) — active ／活泼／ hoạt bát
- ☐ 起業(する) — to start a business ／创业／ bắt đầu kinh doanh
- ☐ 競う — to compete ／竞争／ cạnh tranh
- ☐ 規模 — size ／规模／ quy mô
- ☐ 業績 — business performance ／业绩／ thành tích
- ☐ 勤続 — staying in a company ／连续工作／ làm việc liên tục
- ☐ 雇用(する) — to hire ／雇用／ thuê người làm
- ☐ 採用(する) — to employ ／采用／ tuyển dụng
- ☐ 収益 — profit ／收益／ lợi lãi
- ☐ 昇進(する) — to get promoted ／晋升／ thăng tiến
- ☐ 職務 — one's duty ／职务／ nhiệm vụ
- ☐ 庶民 — ordinary people ／老百姓／ dân thường
- ☐ 所有(する) — to own ／所有／ sở hữu
- ☐ 人材 — human resources ／人才／ nhân tài
- ☐ 正規 — legitimate, full-time ／正规／ chính quy
- ☐ 退職(する) — to retire ／退休／ nghỉ việc
- ☐ 打開(する) — to resolve ／打开／ phá vỡ (trạng thái bế tắc, trục trặc)

☐ 提携(する) ていけい	to cooperate	／合作／ hợp tác
☐ 停滞(する) ていたい	to become sluggish	／停滞／ đình trệ
☐ デフレ	deflation	／通货紧缩／ giảm phát
☐ 転職 てんしょく	job change	／换工作／ đổi nghề, chuyển việc
☐ 展望(する) てんぼう	to have a view	／展望／ triển vọng
☐ 独占(する) どくせん	to monopolize	／独占／ độc chiếm
☐ 物価 ぶっか	price	／物价／ giá cả
☐ 赴任(する) ふにん	go to a new post	／赴任／ chuyển đến một nơi nào đó để nhận chức
☐ 放棄(する) ほうき	to abandon	／放弃／ vứt bỏ
☐ 報酬 ほうしゅう	payment	／报酬／ thù lao
☐ 保険 ほけん	insurance	／保险／ bảo hiểm
☐ 役職 やくしょく	post	／官职／ chức vị
☐ 労力 ろうりょく	labor	／劳动力／ công sức

技術・産業
ぎじゅつ・さんぎょう

☐ 開発(する) かいはつ	to develop	／开发／ phát triển
☐ 革新 かくしん	innovation	／革新／ đổi mới
☐ 確保(する) かくほ	to secure	／确保／ bảo đảm
☐ 加工(する) かこう	to manufacture	／加工／ gia công
☐ 技能 ぎのう	ability	／技能／ kĩ năng
☐ 原子力発電 げんしりょくはつでん	nuclear power generation	／核发电／ phát điện hạt nhân
☐ 交通網 こうつうもう	transportation network	／交通网／ mạng lưới giao thông
☐ 効率 こうりつ	efficiency	／效率／ năng xuất
☐ コマーシャル	commercial	／电视广告／ quảng cáo
☐ コントロール	control	／控制／ quảng lí, kiểm soát
☐ 産出(する) さんしゅつ	to produce	／出产／ sản xuất
☐ 省エネ しょう	energy-conserving	／节能／ tiết kiệm năng lượng
☐ 人工衛星 じんこうえいせい	man-made satellite	／人工卫星／ vệ tinh nhân tạo
☐ 繊維 せんい	textile	／纤维／ sợi
☐ 素材 そざい	material	／素材／ nguyên liệu
☐ 転換(する) てんかん	to convert	／转换／ chuyển biến
☐ 天然 てんねん	natural	／天然／ thiên nhiên
☐ 特許 とっきょ	patent	／专利／ bằng sáng chế
☐ 燃料 ねんりょう	fuel	／燃料／ nhiên liệu
☐ 万能 ばんのう	all-purpose	／万能／ vạn năng
☐ 肥料 ひりょう	fertilizer	／肥料／ phân bón
☐ 養殖(する) ようしょく	aquaculture	／养殖／ nuôi trồng
☐ 立体的(な) りったいてき	three-dimensional	／立体／ mang tính ba chiều

自然 (しぜん)

- 外来種 (がいらいしゅ) — non-native species ／外来种／ loài xâm lấn
- 気象 (きしょう) — weather ／气象／ khí tượng
- 洪水 (こうずい) — flood ／洪水／ lũ lụt
- 山頂 (さんちょう) — summit ／山顶／ đỉnh núi
- 資源 (しげん) — resource ／资源／ tài nguyên
- 実態 (じったい) — actual state ／实态／ tình trạng thực tế
- 斜面 (しゃめん) — slope ／斜面／ mặt nghiêng
- 出現(する) (しゅつげん) — to appear ／出现／ xuất hiện
- 神秘 (しんぴ) — mystical ／神秘／ thần bí
- 絶滅(する) (ぜつめつ) — to go extinct ／绝灭／ tuyệt diệt
- 全域 (ぜんいき) — entire area ／全地区／ toàn bộ khu vực
- 退化(する) (たいか) — to degenerate ／退化／ thoái hoá
- 大気 (たいき) — atmosphere ／大气／ không khí
- 漂う (ただよう) — to drift ／飘／ trôi nổi, lững lơ
- 地球温暖化 (ちきゅうおんだんか) — global warming ／地球变暖／ ấm lên toàn cầu
- 蓄積(する) (ちくせき) — to accumulate ／蓄积／ tích luỹ
- 発生(する) (はっせい) — to occur ／发生／ phát sinh
- 繁殖(する) (はんしょく) — to multiply ／繁殖／ sinh sôi
- 氾濫(する) (はんらん) — to overflow ／泛滥／ ngập tràn
- 氷河 (ひょうが) — glacier ／冰河／ băng hà
- 無重力 (むじゅうりょく) — zero-gravity ／无重力／ không có trọng lực
- 群れ (むれ) — group, flock, herd ／群／ bầy, đàn
- 野生 (やせい) — wild ／野生／ hoang dã

教育・研究 (きょういく・けんきゅう)

- 到達(する) (とうたつ) — to reach ／到达／ đạt được
- 育成(する) (いくせい) — to develop ／培育／ đào tạo
- 概念 (がいねん) — concept ／概念／ khái niệm
- 課外活動 (かがいかつどう) — extracurricular activity ／课外活动／ hoạt động ngoại khoá
- 学説 (がくせつ) — theory ／学说／ học thuyết
- 仮説 (かせつ) — hypothesis ／假设／ giả thuyết
- 教訓 (きょうくん) — lesson ／教训／ giáo huấn, /bài học
- 権威 (けんい) — authority ／权威／ người có uy tín
- 研修 (けんしゅう) — training ／研修／ tập sự
- 検証(する) (けんしょう) — to verify ／验证／ kiểm chứng
- 試み (こころみ) — attempt ／尝试／ việc thử
- 参照(する) (さんしょう) — to refer ／参照／ tham khảo
- 視点 (してん) — point of view ／视点／ điểm nhìn, quan điểm
- 受講(する) (じゅこう) — taking a course ／听讲／ đăng ký tham gia lớp học
- 成果 (せいか) — accomplishment ／成果／ thành quả
- 前提 (ぜんてい) — condition ／前提／ tiền đề
- 達成(する) (たっせい) — to achieve ／达成／ thành đạt
- 定義(する) (ていぎ) — to define ／定义／ định nghĩa
- 訂正(する) (ていせい) — to correct ／更正／ đính chính
- 手掛かり (てがかり) — clue ／线索／ đầu mối (để từ đó phát triển thành một sự việc nào đó)
- 同窓会 (どうそうかい) — class reunion ／同学聚会／ hội học sinh cùng khoá/trường
- 到達(する) (とうたつ) — to reach ／到达／ đạt được
- 分析(する) (ぶんせき) — to analyze ／分析／ phân tích
- 本質 (ほんしつ) — essence ／本质／ bản chất
- 免除(する) (めんじょ) — to exempt ／免除／ miễn trừ
- 領域 (りょういき) — area ／领域／ lĩnh vực
- 理論 (りろん) — theory ／理论／ lí luận
- 論理 (ろんり) — logic ／伦理／ logic

芸術・スポーツ・趣味
<small>げいじゅつ　　　　　　　　しゅみ</small>

- ☐ 演技(する) <small>えんぎ</small> — to perform ／演技／ diễn
- ☐ 活躍(する) <small>かつやく</small> — to be active ／活跃／ hoạt động một cách nổi bật
- ☐ 戯曲 <small>ぎきょく</small> — drama ／戏曲／ kịch
- ☐ 競技 <small>きょうぎ</small> — match ／体育比赛／ thi đấu
- ☐ 決勝 <small>けっしょう</small> — finals ／决赛／ chung kết
- ☐ 古典 <small>こてん</small> — classic ／古典／ cổ điển
- ☐ 嗜好 <small>しこう</small> — taste ／嗜好／ sở thích
- ☐ 賞賛(する) <small>しょうさん</small> — to praise ／赞赏／ tán thưởng
- ☐ 情緒 <small>じょうちょ</small> — feeling ／情绪／ cảm xúc, không khí gợi một cảm xúc nào đó
- ☐ 絶賛(する) <small>ぜっさん</small> — to praise ／赞不绝口／ khen ngợi
- ☐ 創造(する) <small>そうぞう</small> — to create ／创作／ sáng tác
- ☐ 著書 <small>ちょしょ</small> — book ／著作／ tác phẩm
- ☐ 独創性 <small>どくそうせい</small> — creativity ／独创性／ tính độc đáo
- ☐ ニュアンス — nuance ／语感／ sắc thái
- ☐ 破壊(する) <small>はかい</small> — to destroy ／破坏／ phá huỷ
- ☐ 発揮(する) <small>はっき</small> — to exhibit ／发挥／ phát huy
- ☐ 名作 <small>めいさく</small> — masterpiece ／名作／ tác phẩm danh tiếng
- ☐ 模倣(する) <small>もほう</small> — to imitate, to copy ／模仿／ mô phỏng
- ☐ 役者 <small>やくしゃ</small> — actor ／演员／ diễn viên
- ☐ 予選 <small>よせん</small> — preliminaries ／预选／ sơ khảo

医療・健康
<small>いりょう　　けんこう</small>

- ☐ 安静 <small>あんせい</small> — rest ／安静／ yên tĩnh
- ☐ 遺伝子 <small>いでんし</small> — gene ／遗传基因／ gen
- ☐ 過労 <small>かろう</small> — overwork ／过度劳累／ lao động quá sức
- ☐ 感染 <small>かんせん</small> — infection ／感染／ lây nhiễm
- ☐ 急性 <small>きゅうせい</small> — acute ／急性／ cấp tính
- ☐ 筋肉 <small>きんにく</small> — muscle ／筋肉／ cơ bắp
- ☐ 細胞 <small>さいぼう</small> — cell ／细胞／ tế bào
- ☐ 刺激(する) <small>しげき</small> — to stimulate ／刺激／ kích thích
- ☐ 持病 <small>じびょう</small> — chronic disease ／老病／ bệnh kinh niên
- ☐ 症状 <small>しょうじょう</small> — symptom ／症状／ triệu chứng bệnh
- ☐ 処置 <small>しょち</small> — treatment ／处置／ xử trí, điều trị
- ☐ 処方 <small>しょほう</small> — prescription ／处方／ phương thuốc
- ☐ 診療 <small>しんりょう</small> — diagnosis ／诊疗／ khám
- ☐ 水分 <small>すいぶん</small> — fluid ／水分／ nước
- ☐ 睡眠 <small>すいみん</small> — sleep ／睡眠／ giấc ngủ
- ☐ ストレス — stress ／精神压力／ căng thẳng, stress
- ☐ 先天的 <small>せんてんてき</small> — congenital ／先天性／ bẩm sinh
- ☐ 長寿 <small>ちょうじゅ</small> — longevity ／长寿／ trường thọ
- ☐ 糖分 <small>とうぶん</small> — sugar content ／糖分／ lượng đường
- ☐ 内蔵 <small>ないぞう</small> — organs ／内藏／ ruột
- ☐ 脳 <small>のう</small> — brain ／脑／ não
- ☐ 肺 <small>はい</small> — lung ／肺／ phổi
- ☐ 疲労 <small>ひろう</small> — fatigue ／疲劳／ sự mệt mỏi
- ☐ 不調 <small>ふちょう</small> — poor condition ／不舒服／ sự không khoẻ
- ☐ 発作 <small>ほっさ</small> — seizure ／发作／ lên cơn, phát ra (bệnh)
- ☐ マッサージ — massage ／按摩／ mát xa
- ☐ 慢性 <small>まんせい</small> — chronic ／慢性／ mãn tính
- ☐ 和らげる <small>やわ</small> — to relieve ／缓解、减轻／ làm dịu đi

生活・環境 (せいかつ・かんきょう)

- ☐ 衣料 (いりょう) — clothing ／衣料／ đồ để mặc
- ☐ 沿線 (えんせん) — along a rail line ／沿线／ dọc tuyến đường (tàu điện)
- ☐ 外観 (がいかん) — exterior ／外观／ bên ngoài
- ☐ 介護(する) (かいご) — nursing ／看护／ chăm sóc người già/người khuyết tật/bệnh nhân
- ☐ 家計 (かけい) — home finances ／家庭开支／ kinh tế gia đình
- ☐ 貸し出し(する) (かしだし) — lend ／借出／ cho thuê, cho mượn
- ☐ 過疎 (かそ) — depopulated ／非常稀少／ giảm dân số
- ☐ 帰省(する) (きせい) — return home ／回家探亲／ về quê
- ☐ グルメ — gourmet ／美食家／ sành ăn
- ☐ 兼用 (けんよう) — combined use ／兼用／ dùng một thứ cho hai mục đích
- ☐ 郊外 (こうがい) — suburban ／郊外／ ngoại ô
- ☐ 雑貨 (ざっか) — miscellaneous goods ／杂货／ tạp hoá
- ☐ 持参(する) (じさん) — to bring ／所持／ mang theo
- ☐ 四季 (しき) — four seasons ／四季／ bốn mùa
- ☐ 実家 (じっか) — family home ／娘家／ nhà cha mẹ đẻ
- ☐ 旬 (しゅん) — season ／旺季／ mùa tốt nhất
- ☐ 少子化 (しょうしか) — a decline in the number of children ／孩子少／ giảm tỉ lệ sinh con
- ☐ 食材 (しょくざい) — ingredient ／食材／ nguyên liệu (món ăn)
- ☐ 新築(する) (しんちく) — newly-built ／新建／ tòa nhà mới xây
- ☐ 新品 (しんぴん) — new item ／新品／ hàng mới
- ☐ 世帯 (せたい) — household ／户、家庭／ gia đình
- ☐ 節約(する) (せつやく) — economize, save money ／节约／ tiết kiệm
- ☐ 宅配 (たくはい) — home delivery ／送货上门／ chuyển đồ đến nhà
- ☐ 治安 (ちあん) — public safety ／治安／ trị an
- ☐ 賃貸 (ちんたい) — lease, rent ／租借／ cho thuê
- ☐ 通販 (つうはん) — mail order ／杂志购物／ bán hàng qua bưu điện
- ☐ 都心 (としん) — city center ／市中心／ trung tâm đô thị
- ☐ 徒歩 (とほ) — walk ／徒步／ đi bộ
- ☐ 避難(する) (ひなん) — evacuate ／避难／ tránh nạn
- ☐ 返却(する) (へんきゃく) — to return ／还／ trả lại
- ☐ 防災 (ぼうさい) — disaster prevention ／防灾／ phòng chống thiên tai
- ☐ 防犯 (ぼうはん) — crime prevention ／防犯／ phòng chống tội phạm
- ☐ 余暇 (よか) — leisure time ／余暇／ rảnh rỗi
- ☐ (家電)量販店 (かでんりょうはんてん) — volume retailer ／大型电器店／ cửa hàng giảm giá
- ☐ 老後 (ろうご) — old age ／老后／ tuổi già

様子・状態(ようす・じょうたい)

☐ 一変(する)(いっぺん)	complete change ／急変／ thay đổi hoàn toàn
☐ 著しい(いちじる)	striking ／显著／ nổi bật
☐ 隔月(かくげつ)	bimonthly ／隔月／ cách tháng
☐ 至急(しきゅう)	urgent ／紧急／ lập tức
☐ 充実(する)(じゅうじつ)	to make full ／充实／ sung túc
☐ 随時(ずいじ)	as needed ／随时／ bất cứ lúc nào
☐ 衰退(する)(すいたい)	to decline ／衰退／ suy thoái
☐ 多様(な)(たよう)	diverse ／多样／ đa dạng
☐ 甚だしい(はなは)	extreme ／甚至／ quá mức
☐ 余地(よち)	margin ／余地／ dư dả
☐ 両立(する)(りょうりつ)	to coexist ／两立／ làm song song cả hai việc
☐ 匹敵する(ひってき)	to rival ／匹敌、不下于／ ngang hàng, ngang tài, ngang sức
☐ 軽減(する)(けいげん)	to reduce ／减轻／ giảm bớt
☐ 形成(する)(けいせい)	to form ／形成／ hình thành
☐ 減少(する)(げんしょう)	to decrease ／减少／ giảm xuống
☐ 及ぶ(およ)	to reach ／涉及／ đạt đến
☐ 衝撃(しょうげき)	impact ／打击、冲击／ sốc

考え・行動(かんが・こうどう)

☐ 促す(うなが)	urge ／催促／ thúc đẩy
☐ 衰える(おとろ)	wither ／衰退／ suy thoái
☐ 思惑(おもわく)	expectations ／思虑／ suy nghĩ, đầu cơ
☐ 共感(する)(きょうかん)	to empathize ／同感／ đồng cảm
☐ 緊張(する)(きんちょう)	to be nervous ／紧张／ căng thẳng
☐ 警戒(する)(けいかい)	to be cautious ／警戒／ cảnh báo
☐ 懸念(する)(けねん)	to worry ／悬念／ lo ngại
☐ 検索(する)(けんさく)	to search ／检索／ truy cập
☐ 告白(する)(こくはく)	to confess ／坦白／ thú nhận, tỏ tình
☐ 孤立(する)(こりつ)	to be isolated ／孤立／ cô lập
☐ 混同(する)(こんどう)	to be confused ／混同／ lẫn lộn
☐ 志向(しこう)	intention ／志向／ chí hướng, ý định
☐ 指摘(する)(してき)	to identify ／指摘／ chỉ trích
☐ 説得(する)(せっとく)	to persuade ／劝说／ thuyết phục
☐ 断言(する)(だんげん)	to declare ／断言／ nói dứt khoát
☐ 中傷(する)(ちゅうしょう)	to slander ／中伤／ phỉ báng
☐ 同情(する)(どうじょう)	to sympathize ／同情／ đồng cảm
☐ 取りかかる(と)	begin ／着手／ bắt tay vào
☐ 認識(する)(にんしき)	to recognize ／认识／ nhận thức
☐ 把握(する)(はあく)	to grasp ／把握／ nắm bắt
☐ 配慮(する)(はいりょ)	to consider ／考虑／ suy nghĩ, quan tâm đặc biệt đến ai/cái gì đó
☐ 暴露(する)(ばくろ)	to expose ／暴露／ tiết lộ
☐ 反感(する)(はんかん)	to revolt ／反感／ phản cảm
☐ 反発(する)(はんぱつ)	to oppose ／抗拒／ phản đối
☐ 非難(する)(ひなん)	to blame ／非难／ trách móc
☐ 分担(する)(ぶんたん)	to split, to allot ／分担／ phân công
☐ 優先(する)(ゆうせん)	to prioritize ／优先／ ưu tiên
☐ 抑制(する)(よくせい)	to control, to restrain ／抑制／ kiềm chế
☐ 個性(こせい)	individuality ／个性／ cá tính
☐ 合意(する)(ごうい)	to agree ／协议／ đồng ý

- ☐ 痛感(する)
  つうかん
  to feel keenly ／痛感／ cảm thấy sâu sắc
- ☐ 欲望
  よくぼう
  desire ／欲望／ dục vọng

性格・感情・人間関係
せいかく　かんじょう　にんげんかんけい

- ☐ 愛想
  あい そ
  courtesy ／和蔼／ thiện cảm
- ☐ 間柄
  あいだがら
  relationship ／关系／ quan hệ
- ☐ 異性
  い せい
  opposite sex ／异性／ dị tính, khác giới tính
- ☐ 温厚(な)
  おんこう
  gentle ／温厚／ đôn hậu
- ☐ 懐疑的(な)
  かい ぎ てき
  skeptical ／疑惑／ hoài nghi
- ☐ 勤勉(な)
  きんべん
  studious ／勤奋／ cần cù
- ☐ 興奮(する)
  こうふん
  to become excited ／兴奋／ hưng phấn, hào hứng
- ☐ 滑稽(な)
  こっけい
  comical ／滑稽／ buồn cười
- ☐ 真摯(な)
  しん し
  sincere ／真挚／ thật thà, thành thực
- ☐ 心理
  しん り
  psychology, state of mind ／心里／ tâm lí
- ☐ 誠実(な)
  せいじつ
  honest ／诚实／ thành thực
- ☐ 成熟(する)
  せいじゅく
  to mature ／成熟／ thành thục
- ☐ 切実(な)
  せつじつ
  earnest ／切实／ tha thiết
- ☐ 巧み(な)
  たく
  skilled, clever ／巧妙／ khéo léo
- ☐ 動機
  どう き
  motive ／动机／ động cơ
- ☐ 動揺(する)
  どうよう
  to shake ／动摇／ dao động
- ☐ 憤慨(する)
  ふんがい
  to be indignant ／愤慨／ phẫn uất
- ☐ もったいない
  wasteful ／可惜／ lãng phí, tiếc
- ☐ 理性
  り せい
  reason ／理性／ lí tính, lí trí
- ☐ 冷淡(な)
  れいたん
  indifferent ／冷淡／ lạnh lùng
- ☐ 和やか(な)
  なご
  gentle ／和气／ ôn hoà

事件・トラブル
じけん

- ☐ 汚染(する) おせん　　to pollutes ／污染／ ô nhiễm
- ☐ 犠牲 ぎせい　　loss, sacrifice ／牺牲／ hi sinh
- ☐ 災害 さいがい　　disaster ／灾害／ thảm hoạ
- ☐ 詐欺 さぎ　　fraud ／欺诈／ lừa đảo
- ☐ 支障 ししょう　　hindrance ／妨碍、障碍／ trở ngại
- ☐ 渋滞(する) じゅうたい　　to become congested ／交通堵塞／ tắc đường
- ☐ 震災 しんさい　　earthquake disaster ／震灾／ thảm hoạ động đất
- ☐ 人災 じんさい　　man-made disaster ／人祸／ thảm hoạ do con người gây ra
- ☐ 捜索(する) そうさく　　to search ／搜索／ tìm kiếm
- ☐ 遭難(する) そうなん　　to encounter difficulty ／遭难／ (gặp) tai nạn trên núi/biển
- ☐ 盗難 とうなん　　theft ／盗窃／ vụ trộm/ăn cắp
- ☐ 被害 ひがい　　harm ／被害／ bị hại
- ☐ 被災 ひさい　　to be affected by a disaster ／受灾／ bị thảm hoạ
- ☐ 紛失(する) ふんしつ　　to lose ／丢失／ đánh mất

模擬試験の採点表

　配点は、この模擬試験で設定したものです。実際の試験では公表されていませんが、各科目の合計得点が示されているので（60点）、それに基づきました。「基準点＊の目安」と「合格点の目安」も、それぞれ実際のもの（19点、100点）を参考に設定しました。
　＊得点がこれに達しない場合、総合得点に関係なく、それだけで不合格になる。

★ 基準点に達しない科目があれば、重点的に復習しましょう。
★ 基準点に達しなければ、苦手分野にならないよう、しっかり復習しましょう。
★ 合格可能性を高めるために、この模擬試験では40点以上を目指しましょう。

●採点表

大問	配点	満点	正解数	得点
問題8	2点 × 4問	8		
問題9	2点 × 9問	18		
問題10	3点 × 4問	12		
問題11	3点 × 3問	9		
問題12	3点 × 4問	12		
問題13	2点 × 2問	4		
	合計	63		
	（基準点の目安）		（20）	
	（合格点の目安）		（35）	

日本語能力試験　模擬試験　解答用紙

N1　読解

名前 Name

〈ちゅうい　Notes〉

1. くろいえんぴつ(HB、No.2)でかいてください。
   (ペンやボールペンではかかないでください)
   Use a black medium soft (HB or No.2) pencil.
   (Do not use any kind of pen.)
2. かきなおすときは、けしゴムできれいにけしてください。
   Erase any unintended marks completely.
3. きたなくしたり、おったりしないでください。
   Do not soil or bend this sheet.
4. マークれい　Marking examples

よいれい Correct Example	わるいれい Incorrect Examples
●	⊘ ⊖ ◐ ○ ◑ ◉

問題 8

46	①	②	③	④
47	①	②	③	④
48	①	②	③	④
49	①	②	③	④

問題 9

50	①	②	③	④
51	①	②	③	④
52	①	②	③	④
53	①	②	③	④
54	①	②	③	④
55	①	②	③	④
56	①	②	③	④
57	①	②	③	④
59	①	②	③	④

問題 10

59	①	②	③	④
60	①	②	③	④
61	①	②	③	④
62	①	②	③	④

問題 11

63	①	②	③	④
64	①	②	③	④
65	①	②	③	④

問題 12

66	①	②	③	④
67	①	②	③	④
68	①	②	③	④
69	①	②	③	④

問題 13

70	①	②	③	④
71	①	②	③	④